D0456600

GARÇON MANQUÉ

NINA BOURAOUI

Garçon manqué

STOCK

ISBN : 978-2-253-15254-5 – 1re publication LGF

Alger

Je cours sur la plage du Chenoua. Je cours avec Amine, mon ami. Je longe les vagues chargées d'écume, des explosions blanches. Je cours avec la mer qui monte et descend sous les ruines romaines. Je cours dans la lumière d'hiver encore chaude. Je tombe sur le sable. J'entends la mer qui arrive. J'entends les cargos quitter l'Afrique. Je suis au sable, au ciel et au vent. Je suis en Algérie. La France est loin derrière les vagues amples et dangereuses. Elle est invisible et supposée. Je tombe avec Amine. Je tiens sa main. Nous sommes seuls et étrangers. Sa mère attend dans la voiture blanche. Elle a froid. Elle ne descend pas. Elle reste à l'abri des vagues, du vent, de la nostalgie des ruines romaines. Elle attend la fin de la course. Amine pourrait être mon frère.

Des hommes surgissent des dunes. Ils sont quatre et pressés. Ils marchent vite en direction de la mer, un rendez-vous. Ils ont de grands gestes. Ils parlent en arabe. Leurs voix traversent la plage. Elles sont avec les vagues. Elles sont avec le vent. C'est une emprise. Ils passent près de nos corps. Ils ne s'arrêtent pas. Ils tendent la main vers l'horizon. Je retiens un seul mot, *el bahr, el bahr, el bahr**, une magie répétée.

Savent-ils la France ? Guettent-ils le prochain cargo ? Savent-ils l'éternité de la mer ?

Ils quittent la plage sans nous regarder. Nous n'existons pas. Je reprends la course. Je ris. Je suis plus gaie qu'Amine. La mer me porte. Elle prend tout. Elle m'obsède. Elle est avant le rêve de la France. Elle est avant le voyage. Elle est avant la peur.

Les yeux d'Amine sont tristes. Ici nous ne sommes rien. De mère française. De père algérien. Seuls nos corps rassemblent les terres opposées.

*

Ma vie algérienne est nerveuse. Je cours, je plonge, je traverse vite. La rue est interdite. Rue d'Isly, rue Didouche-Mourad, rue Dienot, le

* La mer, la mer, la mer.

Telemny. La rue est derrière la vitre de la voiture. Elle est fermée, irréelle et peuplée d'enfants. La rue est un rêve. Ma vie algérienne bat hors de la ville. Elle est à la mer, au désert, sous les montagnes de l'Atlas. Là, je m'efface enfin. Je deviens un corps sans type, sans langue, sans nationalité. Cette vie est sauvage. Elle est sans voix et sans visage. Je suis agitée. Je dors mal. Je mange peu. Amine double ma folie. Nous courons ensemble, toujours plus vite. Nous fuyons.

Nous nous dévorons.

Je sors loin d'Alger. Je vais vers le silence. Je rentre modifiée. Je deviens sensible. Je reste dans ma chambre. Je parle seule, longtemps. Je garde un secret. Je viens d'une union rare. Je suis la France avec l'Algérie.

On me protège de la rue, des voix, des gestes et des regards. Je suis fragile, disent-ils. On m'exclut. Amine reste avec moi. Toujours. Il garde le secret. Il est le secret. Par sa peau, par ses yeux, par son accent. On change nos prénoms. On joue à la France. La RTA* forme nos rêves. Elle diffuse des images majeures qui nous suivront, longtemps. Elle rapporte une autre vie au lieu clos. Je sais les dialogues, les visages, la musique. J'apprends vite. J'imite. Je travaille ma

* Radio-télévision algérienne.

9

mémoire. Nous ne quittons plus le jeu. Nous dressons un mur, une prison dans une prison.

Nous renversons la ville.

*

Le père d'Amine rapporte de Tizi-Ouzou deux burnous blancs. Des cadeaux, dit-il. On s'habille vite. On rabat les capuches. On croise les mains sous les manches amples et non cousues. On disparaît. On traverse le jardin. On fait des petits pas.

Les burnous sont trop longs. Ils prennent le corps entier. Ils le noient. On devient fragiles et perdus dans le costume traditionnel qui révèle l'impuissance à être vraiment une partie de soi. On hésitera toujours. On ne sera jamais de vrais Algériens. Malgré l'envie et la volonté. Malgré le vêtement. Malgré la terre qui entoure.

Amine prononce quelques mots d'arabe. Il parle avec un accent trop droit. Je ne réponds pas. Je ne joue plus. Je me détache. Moi je sais. Je sais la limite. Je sais la force puis l'échec. Je sais notre différence. Une différence de sang.

Je sais le vertige Amine.

Qui sommes-nous ?

Sa mère nous prend en photo. Elle enverra à sa famille, française, l'image de son fils déguisé.

10

Elle diffusera notre mensonge. Le chien court autour de nous. Il aboie sur deux imposteurs.

*

Je ne parle pas arabe. Ma voix dit les lettres de l'alphabet, *â, bâ, tâ, thâ* puis s'efface. C'est une voix affamée. C'est une voix étrangère à la langue qu'elle émet. Je dis sans comprendre.

C'est une langue espérée qui ne vient pas. Je suis des cours d'arabe classique. Ils sont obligatoires. On nous appelle les arabisants. J'apprends la grammaire. J'oublie. C'est une langue qui s'échappe. C'est une fuite et un glissement. Je prononce le *hâ* et le *rhâ* si difficiles. Je reconnais les sons, *el chekl**. Mais je reste à l'extérieur du sens, abandonnée.

Je fais quinze ans d'arabe. Je creuse mon silence. Je reste en retrait. Je ne capte pas les voix qui montent de la rue. J'invente une autre langue. Je parle arabe à ma façon. J'interprète. Je reste dans le mensonge, une habitude.

Cette langue qui s'échappe comme du sable est une douleur. Elle laisse ses marques, des mots, et s'efface. Elle ne prend pas sur moi. Elle

* Ensemble de signes qui indiquent la sonorité du mot.

me rejette. Elle me sépare des autres. Elle rompt l'origine. C'est une absence. Je suis impuissante. Je reste une étrangère. Je suis invalide. Ma terre se dérobe. Je reste, ici, différente et française. Mais je suis algérienne. Par mon visage. Par mes yeux. Par ma peau. Par mon corps traversé du corps de mes grands-parents. Je porte l'odeur de leur maison. Je porte le goût des galettes et des croquets. Je porte la couleur des robes. Je porte les chants. Je porte le bruit des bracelets frottés. Je porte la main de Rabiâ sur mon visage fiévreux. Je porte la voix de Bachir qui appelle ses enfants. Cette voix est au-dessus de tout. Elle résonne encore et comble le manque. Elle est éternelle et puissante. Elle me rattache aux autres. Elle m'inclut à la terre algérienne.

*

Je deviens une étrangère par ma mère. Par sa seule présence à mes côtés. Par ses cheveux blonds, ses yeux bleus, sa peau blanche. Elle descend la rue. Elle serre ma main. Elle tient mon corps très près de son corps. Elle m'attache à sa hanche. C'est notre dernière promenade. Ma mère est un défi. Elle sait. Elle passe les hommes sans regarder. Ses yeux vont jusqu'à la mer. Elle nie la ville, une forêt noire et serrée contre la lumière du ciel. Elle est en danger. Je suis là. Je protège malgré moi. Mon regard est armé. Mon regard est injuste. Ils frôlent. Ils ne s'arrêtent pas. Ils murmurent. L'enfant est un prétexte. L'enfant est une sécurité. L'enfant coupe comme une lame. Je deviens ma mère. Je deviens sa robe. Je deviens son parfum qui reste derrière nous. Je deviens sa peau convoitée. Une main touche ses cheveux puis se retire par la seule force de mon visage fermé. Toucher. Savoir. Connaître. Ma mère est un trésor. Amine et moi remplaçons nos pères. Là, nous sommes deux vrais Algériens.

*

Une femme française à ma mère : « Pourquoi tous ces meubles chez vous ? Un jour ils prendront tout. » « Pourquoi se maquiller ? Ils ne nous voient pas. » « Pourquoi se parfumer ? Rien ne tient ici. Le soleil fait tourner les odeurs. Il brûle après la peau, jusqu'aux chairs. » « Nous sommes en poste à Alger. Ensuite nous ferons l'Afrique noire. » Sur la plage de Moretti, alors qu'un jeune homme se noie, au loin, déjà perdu, si loin. Il appelle. Elle dit encore : « Pourquoi y aller ? Le sauver ?

13

Risquer sa vie ? Ils sont si nombreux. Tous ces corps bruns et serrés. Cette population. »

Mon père court vers la mer. Il nie cette voix qui refuse. Il va vers l'autre voix, celle de l'homme qui se noie. Il nage vite. Il est déjà loin. Il soulève un corps. Il revient sur le dos, entravé. Il dépose sur le sable un jeune Algérien. Il pourrait être son frère, Amar. Il pourrait être ce corps mort à la guerre. Il pourrait être cet aîné porté disparu. Il pourrait être cet amour perdu. Il masse sa poitrine longtemps. Il souffle dans sa bouche. Il attend un signe, la vie. Les baigneurs silencieux encerclent les deux corps. La lumière ne passe pas. Rien ne les sépare. Mon père est sans moi. Il est aux autres qui regardent, pris dans sa douleur, si seul. La mer est une violence. Elle est, sans cesse. Par ses vagues. Par son bruit. Par son odeur.

Le noyé est fin et brun. Son visage est lisse. Ses yeux sont mi-clos, comme s'il rêvait. Son ventre est immobile. C'est une pierre sombre et perlée d'eau. Ses cheveux sont plaqués en arrière. Seul un filet humide sur ses lèvres. Cet homme est mort. Je ne l'oublierai jamais. Chaque homme croisé portera son image, une image fantôme qui rompt l'enfance. Il pourrait être toi, Amine. Ton visage. Tes yeux baissés. Tes cheveux. Il pourrait être ton corps bientôt adulte. Il te suivrait comme une ombre et un jumeau. Mais tu n'es pas vraiment algérien. Tu en as juste l'air, empêché par cet alcool français qui te ronge.

*

Seul Amine sait mes jeux, mon imitation. Seul Amine sait mes envies secrètes, des monstres dans l'enfance. Je prends un autre prénom, Ahmed. Je jette mes robes. Je coupe mes cheveux. Je me fais disparaître. J'intègre le pays des hommes. Je suis effrontée. Je soutiens leur regard. Je vole leurs manières. J'apprends vite. Je casse ma voix.

Je n'ai pas peur des hommes de Zeralda. Ils occupent la plage entière. Ils plongent dans l'eau d'un coup, sans mouiller la nuque, le ventre, les chevilles. Ils sont résistants. Ils prennent la mer. Par leurs cris. Par leurs gestes. Par leurs corps massés et nombreux. Ils sont violents. Ils sont en vie.

J'ajuste mon maillot, une éponge bleue. Je marche les jambes ouvertes. Je suis fascinée.

Amine m'aime comme un garçon.

Nous restons à la plage jusqu'aux limites de la nuit. Les dernières heures sont roses et sans temps, lentes et pleines du souvenir du soleil, un feu qui quitte le sable, la peau, la forêt de pins cachée. Nous jouons encore. Contre la nuit qui vient. Je joue vite. Je suis précise. Je garde le ballon longtemps, avec ma tête, mon torse et mes pieds nus, avec mon corps sans peur. Je cours avec le bruit de la mer. Les vagues sont des voix. La sirène des cargos appelle les hommes de Zeralda. Ils viennent. La sirène rassemble. Tous ces corps qui s'ennuient.

Je sens la tendresse des hommes de Zeralda. Leur intérêt. Leur indulgence. Ils applaudissent. J'apprends à être devant eux. J'apprends à me montrer ainsi, changée. Ils me regardent. Seul mon corps captive. Je dis mon mensonge. Par mes gestes rapides. Par mon attitude agressive. Par ma voix cassée. Je deviens leur fils.

Ici je suis la seule fille qui joue au football. Ici je suis l'enfant qui ment. Toute ma vie consistera à restituer ce mensonge.

À le remettre. À l'effacer. À me faire pardonner. À être une femme. À le devenir enfin.

Toute ma vie reposera sur la perte du regard doux des hommes de Zeralda, une méprise sur ma personne.

*

Le jeu reprend à l'école du petit Hydra. C'est un défi. C'est un effacement. Je me remplace. Je suis toujours choisie par l'équipe de garçons. Je joue contre mon camp. Je tiens mon rôle. Ma force n'est pas dans mon corps fragile. Elle est dans la volonté d'être une autre, intégrée au pays des hommes. Je joue contre moi.

Je joue avec ma petite taille. Je joue avec ma peau fine. Je joue sous la pluie d'orage. Je n'ai pas peur de la force du ciel qui noie les jardins et la place d'Hydra. C'est le regard des hommes de Zeralda qui donne ce courage. C'est un dépassement. Malgré les mots des autres, de petites brûlures que ma chair retiendra.

Mes vêtements. Mon allure. Ma course. Mon endurance, une folie. Ma voix. Mes cheveux trempés. Mes jambes en sang. Ma fuite. Mon identité chassée.

C'est le regard indulgent des hommes de Zeralda qui ferme la rumeur.

Je regarde les garçons des rues après l'école. Ils jouent avec le soleil retrouvé. Un scintillement. Ils ont ma rage. Je ne peux pas sortir de la voiture. Ils tombent. Ils se renversent. Ils dribblent entre les trolleybus. Ils jouent sous la mort. Ils n'ont peur de rien. Ma main sur la vitre supplie. Mon regard sera toujours celui de l'envie. Ils ont mon âge. Ils ont ma peau. Ils ont mes cheveux.

Je ne comprends pas tous leurs mots. Une phrase revient, *yahya* l'Algérie*. Je la répète devant le miroir du long couloir qui sépare les chambres. J'entends la voix de la foule, unique, une invocation. *Yahya* l'Algérie. Je suis avec ces enfants-là.

Je joue à l'intérieur de ma prison. Je deviens Dahleb le joueur qui signe sa photographie, « à la petite Nina, avec toute ma tendresse ». C'est la tendresse des hommes de Zeralda qui revient encore. C'est la tendresse des yeux d'Amine qui regarde sans rien dire. Son silence est un accord.

Ainsi, je deviens son double. Ainsi, je quitte son ombre. Ainsi, je prends sa force. Je protégerai toujours Amine. La terre qui porte est mon témoin.

*

Je vais à l'école française. Je vais au lycée français. Je vais à l'Alliance française. Je vais au Centre culturel français. La France est encore là, rapportée et réduite, en minorité.

Je parle français. J'entends l'algérien. Mes vacances d'été sont françaises. Je suis sur la terre algérienne. Je cours sur le sable algérien.

* Vive l'Algérie.

J'entends la voix de mon père algérien. Je suis avec les enfants mixtes. Nous restons ensemble. Nous nous reconnaissons.

Je ne sais pas les familles algériennes. Je refuse les invitations des familles françaises. Leur regard. Leurs mots. Leur jugement. Leur Algérie française. Je parle avec des mots d'arabe intégré à ma langue maternelle. Des incursions. Je ferme mes phrases par *hachma**.

J'ai deux passeports. Je n'ai qu'un seul visage apparent.

Les Algériens ne me voient pas. Les Français ne comprennent pas. Je construis un mur contre les autres. Les autres. Leurs lèvres. Leurs yeux qui cherchent sur mon corps une trace de ma mère, un signe de mon père. « Elle a le sourire de Maryvonne. » « Elle a les gestes de Rachid. » Être séparée toujours de l'un et de l'autre. Porter une identité de fracture. Se penser en deux parties. À qui je ressemble le plus ? Qui a gagné sur moi ? Sur ma voix ? Sur mon visage ? Sur mon corps qui avance ? La France ou l'Algérie ?

J'aurais toujours à expliquer. À me justifier. Ces yeux me suivront longtemps, unis ensuite à

* La honte !

19

la peur de l'autre, cet étranger. Seule l'écriture protégera du monde.

*

Qui serai-je en France ? Où aller ? Quels seront leurs regards ? Être française, c'est être sans mon père, sans sa force, sans ses yeux, sans sa main qui conduit. Être algérienne, c'est être sans ma mère, sans son visage, sans sa voix, sans ses mains qui protègent. Qui je suis ? Amine choisira à l'âge de dix-huit ans. Il occupera son camp. Il deviendra entier. Il défendra un seul pays. Il saura, enfin. Moi, je suis terriblement libre et entravée.

« Tu n'es pas française. » « Tu n'es pas algérienne. »

Je suis tout. Je ne suis rien. Ma peau. Mes yeux. Ma voix. Mon corps s'enferme par deux fois.

Je reste avec ma mère. Je reste avec mon père. Je prends des deux. Je perds des deux. Chaque partie se fond à l'autre puis s'en détache. Elles s'embrassent et se disputent. C'est une guerre. C'est une union. C'est un rejet. C'est une séduction. Je ne choisis pas. Je vais et je reviens. Mon corps se compose de deux exils. Je voyage à l'intérieur de moi. Je cours, immobile. Mes nuits sont algériennes. Ma mémoire rapporte les visages qui forment mon visage. Mes jours sont français, par l'école puis le lycée, par la langue employée, par Amine qui dit l'autre pays, absent et espéré.

*

Amine porte sa voix au-dessus des vagues qui noient la digue de Sidi-Ferruch. Il raconte, après les rochers noirs des récifs algériens. Il dit la France. Il dit l'autre enfance. Il dit sa vie française. Il force ses mots. Il appelle. Il ne se souvient plus. D'autres voix s'opposent à lui. Celles de la mer, du vent et des oiseaux. Il va contre la force de la terre qui entoure. C'est un combat puis une plainte. Il rapporte, là, son autre visage, mon étranger. Nous marchons sur la digue. Nous marchons contre la violence de la mer et du vent qui la commande. Nous sommes entre la France et l'Algérie, pris dans l'hiver du Sud, une fausse saison. Ici, le soleil est éternel. Je n'entends plus Amine. Je ne veux plus l'entendre. Son rêve. Son envie. Il est ailleurs, déjà. Il est sans moi. Sa vie française vient de mon absence.

Ma vie bat ici. Elle se construit avec la mer, la terre et les maisons en dômes de Sidi-Ferruch.

Je sais l'Algérie, ses cycles. La France est une violence. Elle m'arrachera d'Alger. Je suis contre Amine. Je sais nos lieux, Cherchell, Tipaza, Boufarik, des passages validés. J'apprends à faire ma place. À m'unir. La France est en dehors de moi. Je m'échappe. Je reviens toujours en Algérie. Je sais mon lieu, ses ruines romaines. Ma solitude est ici, avec ces pierres. La France reste blanche et impossible. Elle porte ma naissance puis mon départ. Un rejet. Je renais à Alger appartement du Golf*, septembre 1967. C'est ici que je m'invente. C'est ici que je façonne. Mon visage. Mes yeux. Ma voix. Tout se fait là. Dans ma solitude algérienne. Je viendrai toujours d'ici, instruite et traversée par l'Algérie des années soixante-dix.

Nos mères dans les ruelles du village de Sidi-Ferruch. Les mains au visage pour se protéger du vent. Courbées contre les rafales de sel et de sable. Seule la mer violente existe. C'est un combat. C'est le corps fragile contre le bruit des vagues. Elles sont sans Amine. Elles sont sans vigilance. Amine se perd. Elles ignorent. Son reniement. Sa séparation d'avec l'Algérie. Son envie. Ma folie.

Amine, attiré par les vagues bleu nuit. Amine

* Quartier d'Alger.

dans la rupture. Amine, tendu vers l'autre pays. Amine, qui fête sa victoire sur moi, un abandon. Je cours vers ma mère. Elle prend mes épaules. Nous luttons contre le vent. Ma mère me serre contre sa taille. Elle guérit de tout. Je ferme les yeux. Amine est là. Son corps est désespérément en Algérie.

Le vent tombe. La mer perd ses vagues. Le silence prend le lieu. Il ressemble à la mort. On rentre vers Alger. La voiture suit la ligne des rochers. La mer conduit à la ville, par ses dunes, par ses roseaux, par ses récifs. Elle disparaît avec les premiers villages. Koléa. Boufarik. Douéra. Des drapeaux. Des allées de platanes. Des matelas pneumatiques, des ballons, des bouées.

Un enfant seul. Des hommes contre les murs. L'ennui. Les femmes cachées. Le désir. Voilà l'Algérie, Amine. Voilà sa fragilité. La sirène des cargos rappelle la mer, son odeur, un entêtement. Amine reste serré contre la portière. Il pense à la mer qui s'échappe, une ombre dans la nuit. Il est sans voix. Je sais sa tristesse. Je sais son visage fermé.

Nous ne serons jamais comme les autres.

*

Je deviens algérienne avec mon père. Par sa main dans ma main qui protège. Par ses cheveux, ses yeux et sa peau, brune. Par sa voix. Par sa langue arabe. Par ses prières. Par ses parents dans son corps, une invasion. Je monte dans sa voiture, une fête. Je surveille. La rue. Sa nuque. Les bus. Ses épaules. Les enfants. Ses mains encore, lentes et souples. J'accompagne, place d'Hydra. Nous descendons. Je tiens son bras, une anse de pierre. Je marche les chevilles ouvertes. Je suis avec mon père. Je crois devenir algérienne. Je suis sauvée.

Mon père m'initie à l'enfance. Il m'élève comme un garçon. Sa fierté. La grâce d'une fille. L'agilité d'un garçon. J'ai sa volonté, dit-il. Il m'apprend le foot, le volley, le crawl. Il m'apprend à plonger des rochers bruns et luisants. Comme les voyous.

Il transmet la force. Il forge mon corps. Il m'apprend à me défendre dans le pays des hommes. Courir. Sauter. Se sauver. Il détourne ma fragilité. Il m'appelle Brio. J'ignore encore pourquoi. J'aime ce prénom. Brio trace mes lignes et mes traits. Brio tend mes muscles. Brio est la lumière sur mon visage. Brio est ma volonté d'être en vie. Les hommes de la place d'Hydra. Leurs mains dans mes cheveux. Le fils ou la fille de Rachid ? Ses yeux. Sa peau. Ses épaules. Trop étroites. Sa fille. Leurs doigts qui

pincent mes joues. Leur odeur sur mon visage.
Ici je suis protégée. Par leurs mots. Par leurs
gestes lents. Par leur attitude. Par leurs visages.
Par l'imitation que j'en ferai. Ici je sais. Ici
j'apprends. Ici je suis dans le secret des hommes
d'Alger.

*

J'organise ma vie dans le secret. Je suis, vraiment, dans ma chambre. C'est le lieu de l'imitation. Je rapporte la réalité puis la modifie. Je
marche en rond. Je cherche quelqu'un d'autre.
Longtemps je reste devant ma fenêtre ouverte
sur les plaines de la Mitidja. Je compte les
pylônes électriques qui marquent le flanc des
collines. Je compte les ballons rouges posés sur
les câbles tendus. Le vent fait vibrer les lignes
sous tension. Les balises brillent la nuit pour
prévenir les avions. Ce vibrato. Ces lumières.
Voilà la nuit algérienne. Une nuit sans silence.
Une nuit effrayante.
    La mer est de l'autre côté de l'appartement.
Elle est bleue l'hiver et blanche l'été. Des cargos
noirs la traversent. Elle est violente. On ne sait
pas encore ses plages, invisibles d'ici. La baie
d'Alger forme une crête. C'est un rempart
contre la mer. C'est un mur contre l'invasion.

C'est la vie citadine et serrée, bruyante et organisée. Ce n'est pas ma vie.

Seule la grande cheminée de l'usine du Telemli se détache des terrasses. Elle perce le ciel. La mer est derrière la forêt d'eucalyptus. Je regarde toujours au-delà. Au-delà des plaines de la Mitidja. Au-delà des arbres. Au-delà de mon corps féminin. Au-delà de la mer : la terre française, natale et négligée. La mer tient entre les deux continents. Je reste entre les deux pays. Je reste entre deux identités. Mon équilibre est dans la solitude, une unité. J'invente un autre monde. Sans voix. Sans jugement. Je danse pendant des heures. C'est une transe suivie du silence. J'apprends à écrire.

*

Le sable de la plage de Zeralda est gris, brûlé par le soleil. La mer se retire. Elle est sans fond. Elle devient impraticable. Elle va vers les côtes étrangères. Elle quitte. La plage est immense. Souvent déserte. Elle amplifie la solitude. Des baigneurs. De la mère d'Amine. De mon corps qui s'ennuie. Je n'ai que la mer. Je n'ai que le sable. Je n'ai que la vision des récifs lointains. Je n'ai que le mouvement des nuages. Je n'ai que le ciel pour moi, un vertige. Je n'ai que la nature.

Par elle je deviens adulte. Par elle je sais le désir. Par elle je suis attirée.

Je suis venue avec Farid M. Ici. Un voyage de classe. J'ai tenu sa main, longtemps. Je suis restée sans me baigner. Sous la chaleur. Dans le bruit des rouleaux. Avec la violence de l'été algérien. Je suis venue sur la plage de Zeralda sans Amine. Je suis devenue une fille ici, par la seule présence de Farid M. J'ai reconnu mon visage dans ses yeux. J'ai entendu ma voix dans sa voix lente et secrète.

La mère d'Amine. Sa peau blanche. Son visage contre le soleil, une guerre. Elle est démunie, là, sur la plage algérienne. Elle n'entend que la mer. Sa fuite. Elle est écrasée par l'Algérie. Elle est plus qu'une étrangère. C'est une femme française. Elle ne dit rien. Elle souffre du soleil. Elle couvre ses jambes. La chaleur. Une morsure. Elle cherche sa place, ici, à Zeralda. Elle reste en dehors. C'est une enfant sans pays.

Le soleil brûle Zeralda. Le soleil brûle la mer. Le soleil brûle mon corps trop brun. Le soleil brûle la peau blanche de la femme française. Il tombe sur les corps. Il étouffe les voix. On ne s'entend pas. Je rejoins Amine, l'ami triste. Il court et revient. Il fuit sa mère. Il fuit la terre. L'Algérie est sa prison. Son corps est mon envie. Je veux ses muscles longs. Je veux son visage déjà adulte. Je veux ses mains noueuses. Je veux ses épaules. Je veux ses cheveux noirs et bouclés.

Je suis trop petite pour mon âge.

La plage est impossible. Elle étouffe. Elle isole. La mère d'Amine est sans nous. Elle ne surveille pas. Le soleil est son obsession. Il vise son corps. Il prend tout. Il dit le danger imminent de ce pays. Le soleil est violent. Il brûle le sel. Il embrase. Il chauffe la roche des falaises. Sa lumière est blanche. Sa frappe est puissante.

Le soleil est une folie. Le soleil est un homme qui dévore l'Algérie. On fuit la plage. On fuit le corps perdu de la mère d'Amine. On quitte le feu. On va vers l'hôtel de Zeralda. On escalade un mur. On traverse les jardins. La terre sous nos pieds nus. Les ronces sur nos cuisses. Les roseaux sur la peau. Le silence revient. Il est après les arcades blanches. Il est sur les murs de mosaïque. Il est dans l'hôtel désert. Il est sous l'eau bleue de la piscine. Il est avec notre ennui.

Le soleil vient jusqu'à l'hôtel de Zeralda. Je saute du plongeoir. Je descends, loin. Je reste au fond longtemps. Le soleil incendie. Le feu contre mon souffle. Le feu contre ma volonté. Il m'attend. Je ne remonte pas. Le soleil révèle. Je ne suis pas algérienne. Il brûle la rangée de pins. Il me cherche. Il vient. Par bandes obliques. Il consume. Le soleil est une vengeance. Je ne suis pas d'ici. Je ne remonte pas. Je reste assise. Je suis sous Zeralda. Je suis sous la terre. Noyer mon ennui. Noyer le visage de la mère d'Amine. Noyer la solitude de nos corps livrés. Noyer ma vie algérienne. La piscine est profonde. J'entends ma voix dans ma gorge. J'entends mon sang. Se noyer en Algérie. Vaincre le soleil. Rester là. Ne jamais rentrer en France. Amine descend. Ses yeux sont ouverts. Je vois son visage. Son beau visage. Amine porte le visage de son père. Il prend mes épaules. Lui seul sait. Il sait la force du soleil. Il sait ma fragilité. Il me soulève. Son ventre contre mon ventre. Ma tête sur sa poitrine. Amine n'est plus un enfant. Lentement, nous refaisons surface. Le secret de la piscine hantera notre histoire.

*

Ici je suis une étrangère. Ici je ne suis rien. La France m'oublie. L'Algérie ne me reconnaît pas. Ici l'identité se fait. Elle est double et brisée. Ici je fuis le regard des enfants. Ici je ne comprends pas la langue.

Deux bâtards sur la plage. Deux métis.

Amine et moi. Moi et Amine. Attirés l'un par l'autre. Assis côte à côte. Serrés dans l'eau, à jamais. Des enfants difficiles, disent-elles.

Ici je cherche ma terre. Ici je ne sais pas mon visage. Je reste à l'extérieur de l'Algérie. Je suis inadmissible. Ici je déteste la France. Ici je sais la haine. Ici je suis la fille de la Française. L'enfant de Roumia. Ici je porte la guerre d'Algérie. Ici je rêve d'être une Arabe. Pour ma grand-mère algérienne. Pour Rabiâ Bouraoui. Pour sa main sur mon front. Pour son ventre. Pour son sang. Pour sa langue que je ne comprends pas. Pour sa tendresse. Pour son fils Amar tué à la guerre.

Ici je porte la blessure de ma famille algérienne.

Je garde la photographie d'Amar. Mon secret. Sa dernière photographie. Prise au maquis. Il porte une chemise militaire. Il braque un fusil. Il vise le photographe. Pour rire. Il vise l'objectif. Pour se souvenir. De la douleur. Du combat. De l'Algérie française. Il vise l'enfant qui regarde son image. Il porte une cartouchière à la ceinture. C'est un homme dans la guerre. Une maison blanche derrière lui. Son poste. Son organisation. Son sommeil. Ses repas. Son tour de garde. Il sourit. Il vise toute ma famille fran-

çaise. Amar est le fils aîné disparu. Amar est le
frère perdu. Amar est le silence de mon père. Sa
séparation. Amar vient la nuit par sa dernière
image, mon obsession.

*

Ma mère blanche contre l'homme du maquis.
Mon père. Sa femme après son frère. Je suis
dans la guerre d'Algérie. Je porte le conflit. Je
porte la disparition de l'aîné de la famille, sa
référence. On ne retrouve pas son corps. Il reste
dans le secret du maquis. Il reste dans la terre
sèche. Il reste au sommet des falaises. Il reste
sous le soleil qui attise les feux. Il reste dans
l'incendie algérien. Sous sa ligne rouge et ses
nuages noirs. La montagne ne sera plus jamais
la même. C'est Amar que mon père regarde.
C'est lui qu'il cherche. Mais c'est aussi ce sou-
venir-là qu'il lui faudra fuir. La mort d'Amar
est irréelle. C'est un enlèvement. C'est une disparition. C'est une image sans fond. C'est un
deuil qui ne se finit pas.

Ma mère rapporte la France en Algérie. Par sa
seule présence. Par sa volonté. Par son amour
pour ce pays, indépendant. Par sa famille, française. « Tu n'épouseras pas un Algérien. » Ma
mère devient sans attaches. Elle n'a que mon

père. Elle n'a que nous. Elle n'a que sa nouvelle terre. La terre d'Amar.

Par son seul corps, ma mère réconcilie. Par ses seules mains, ma mère rassemble. Elle n'y arrivera pas. Son visage. Sa peau. Ses cheveux. Ses yeux. Sa liberté. Ma mère dans les rues d'Alger. Ma mère à la plage. Ma mère au volant de sa voiture. Ma mère dans la maison familiale. Ma mère sous le feu du maquis. Ma mère reste une femme française en Algérie.

*

Longtemps je crois porter une faute. Je viens de la guerre. Je viens d'un mariage contesté. Je porte la souffrance de ma famille algérienne. Je porte le refus de ma famille française. Je porte ces transmissions-là. La violence ne me quitte plus. Elle m'habite. Elle vient de moi. Elle vient du peuple algérien qui envahit. Elle vient du peuple français qui renie.

Longtemps je garde la photographie d'Amar. J'invente son histoire. Longtemps je force la réalité. Je deviens Amar. Je joue à être un homme. Je suis captivée. La violence précède ma naissance. Elle reviendra, ici, en Algérie, entre ses habitants. Je deviens violente. Avec moi. Avec les autres. Je cherche mon identité.

Mon regard est triste parfois. Je prends les yeux de mon père qui cherche le souvenir d'Amar. Sa photographie. Mon nouveau rôle. Je coupe mes cheveux. Je jette mes robes. Je cours vite. Je tombe souvent. Je me relève toujours. Ne pas être algérienne. Ne pas être française. C'est une force contre les autres. Je suis indéfinie. C'est une guerre contre le monde. Je deviens inclassable. Je ne suis pas assez typée. « Tu n'es pas une Arabe comme les autres. » Je suis trop typée. « Tu n'es pas française. » Je n'ai pas peur de moi. Ma force contre la haine. Mon silence est un combat. J'écrirai aussi pour ça. J'écrirai en français en portant un nom arabe. Ce sera une désertion. Mais quel camp devrais-je choisir ? Quelle partie de moi brûler ?

*

De mère française. De père algérien. Je sais les odeurs, les sons, les couleurs. C'est une richesse. C'est une pauvreté. Ne pas choisir c'est être dans l'errance. Mon visage algérien. Ma voix française. J'ai l'ombre de ma lumière. Je suis l'une contre l'autre. J'ai deux éléments, agressifs. Deux jalousies qui se dévorent. Au lycée français d'Alger, je suis une arabisante. Certains professeurs nous placent à droite de leur classe. Opposés aux vrais Français. Aux enfants de coopérants. Le professeur d'arabe nous place à gauche de sa classe. Opposés aux vrais Algériens. La langue arabe ne prend pas sur moi. C'est un glissement.

Écrire rapportera cette séparation. Auteur français? Auteur maghrébin? Certains choisiront pour moi. Contre moi. Ce sera encore une violence.

Le désert est en France. Il est immense et permanent. Il est en ville. Il est à Paris même. Je n'existerai pas là-bas. Seule l'immigration dira l'Algérie.

Qui saura les enfants de 1970? Qui saura les mariages de l'indépendance? Qui saura le désir fou d'être aimé? Deux pays. Deux solitudes. Qui lira cette violence-là? Seule la nature donne la force. Elle rassemble. Elle est puissante. Elle comble. Elle agit sur mon corps. Elle recueille. Par là, elle est inhumaine.

*

Le silence de la terre me captive. Par là, je fonde le secret. Il me suivra longtemps. Avec le mensonge.

Mon silence est une omission. Qui saura de quoi je suis faite? La terre algérienne. Cette

34

terre est un homme. Cette terre est une femme.
Elle nourrit mon corps. Elle formera le regret.
Elle formera ma peur des autres. Les autres.
Une rumeur qui détruit.

Amine saute des roches noires et glissantes.
Ses mains tendues vers le vide. Son corps gonflé.
Sa peau brune. Ses yeux fermés. Ses épaules
ouvertes. Son visage en paix. Amine. Une
prière. Nous escaladons des jours entiers les
falaises du Rocher plat. Agrippés à la pierre.
Contre le vertige. Contre le danger. Avec la vie.
Sa force. Avec la folie de notre enfance. Le danger est en nous. Ce n'est pas la falaise. Ce n'est
pas la mer profonde. Ce n'est pas le soleil. Ce
n'est pas la hauteur. Le danger est en nous. Il est
sous la peau. Il est sur le visage. Il est dans le
renoncement. Il est dans le manque d'un pays.
Il vient de la séparation. De mère française. De
père algérien. Deux orphelins contre la falaise.

D'ici la mer est étroite, serrée dans un couloir. Elle est transparente puis noire au fond.
Amine : « Quand tu sens l'eau, freine ton élan.
Sinon, tu t'écrases sur les rochers. » S'écraser.
Frapper. Se blesser. C'est le saut de la mort.
C'est un défi. Contre les autres garçons qui
sautent. Qui me bousculent. Qui prennent mon
tour. Amine m'impose. Amine me protège. Je
sais plonger. Ils sautent deux par deux. En

arrière. De côté. Ils portent tous des maillots noirs. Ils crient encore : « *Yahya* l'Algérie ! »

Une femme monte la falaise. Elle n'est pas algérienne. Elle n'est pas française. C'est une bonne nageuse, disent-ils. Elle ne plonge pas, elle donne. Son corps. Son impulsion. Sa souplesse. Ses épaules fortes. Paola. Son fils appelle. Par son prénom. Paola. Son mari qui cherche. Elle remonte, vite. Serrée à la paroi. Un animal. Elle attend son tour. Elle est près de moi. Elle dit. Tu es beau. Je ne réponds pas. Je plonge. Je cache mon visage. Je plonge. Avec ma honte. Je ne remonte pas. Je déteste la mer. Je déteste les plongeurs. Je déteste la France. Je déteste l'Algérie. Tu es beau. Je reste avec cette violence. Je reste avec le soleil qui révèle. Tu es beau. Amine dément. Amine me protège. C'est Nina. C'est une fille. Amine se défend. Il n'aimerait pas ainsi un garçon. Il aime cette fille. Cette fausse fille. C'est sa folie. Pour ce singe. Pour ce travesti. Paola. Tu es encore plus belle si tu es une fille. Je ne réponds pas. Je ne sais pas. Je ne me sais pas.

Paola. Ses jambes. Sa cigarette. Ses lèvres qui fument. Sa voix qui prononce. Paola. Son ventre. Sa peau. Elle reste sur le rocher. Elle me regarde. C'est une adoption. Sa voix et ses plongeons. Ses mains noueuses. Des mains de femme. Sa fumée sur mon visage. Cette odeur avec l'odeur du sel. Ma honte est un silence infini. Ma honte ferme ma vie.

La mer prend tout. Je la regarde. De toutes mes forces. La mer se retire. Je la retiens par mon seul corps qui ne se retourne jamais complètement sur le corps de Paola. Je reste en équilibre. Je reste en déséquilibre. Paola. Je prie la nuit. Je prie le ciel. Je prie Amine.

Paola. Longtemps j'entendrai sa voix.

*

Ma vie est un secret. Moi seule sais mon désir, ici, en Algérie. Je veux être un homme. Et je sais pourquoi. C'est ma seule certitude. C'est ma vérité. Être un homme en Algérie c'est devenir invisible. Je quitterai mon corps. Je quitterai mon visage. Je quitterai ma voix. Je serai dans la force. L'Algérie est un homme. L'Algérie est une forêt d'hommes. Ici, les hommes sont noirs à force d'être serrés. Ici, les hommes sont seuls à force d'être ensemble. Ici, les hommes sont violents à force de désir. Ce désir est une perte. Il est sans échange. Il va du tout au rien. Il naît de l'ennui. Il naît du fantasme. Il est sec et permanent.

Être un homme en Algérie c'est perdre la

peur. Ici je suis terrifiée. Leurs yeux. Leurs mains. Leurs corps contre les grilles du lycée. Jamais je ne regarde. Je les sens. Ils attendent. Mes yeux. Mon corps. Ma voix. Des objets à prendre. Ici, les hommes sont tristes. Ils tiennent les murs. Ils fument devant la mer. Ils attendent encore. La mer est une envie. La mer est miraculeuse. La mer est un mensonge. Ils rêvent. Comme Amine. Ils espèrent. Ils ne chantent plus.

Ils inventent un départ. Ils inventent une arrivée. Ils feront mieux que les autres. Ils sauront. Le rêve français. Leur regard est une arme. Leur main est une braise. Leur désir est un conflit. Ils se blessent, seuls. Ils sont fragiles. Je les aime pour ça. Ils ne savent pas.

Moi je sais la France. Moi je sais le mépris. Moi je sais la guerre sans fin, Amine. En France tu seras un étranger.

En France tu ne seras pas français.

En France tu ne seras pas un métis. Ta peau est blanche mais tes cheveux sont trop noirs. En France tu ne seras pas un bon Arabe. Tu ne seras rien. De mère française. De père algérien. En France les vrais Arabes ne t'aimeront pas. Tu parles avec un accent. Tu parles avec les mains. Tu as besoin de toucher tes amis. Mais tu ne parles pas arabe. Tu ne sais pas l'Algérie. Tu ne sauras pas la France, Amine. Tu seras encore à l'extérieur de ta terre. Tu regarderas la mer, de l'autre côté. Et tu mentiras. L'Algérie ne se souviendra plus de toi.

En France tu entendras bicot, melon, ratonnade. Tu te défendras. Et ils diront : « mais ce n'est pas toi ». Ce sera une douleur. Toi tu voudras bien être un bicot. Mais tu n'es rien, Amine. Tu auras un drôle de visage. Une peau étrange. Des yeux bizarres. Une couleur si rare. Tu ne seras pas français. Tu ne seras pas un Algérien en France. Tu ne seras rien et tu seras tout. Tu ne seras même plus un homme arraché à la forêt d'Alger.

*

Je pourrais me perdre dans les rues d'Alger. M'isoler de mon corps. Être envahie par le corps des hommes. Je deviendrai un corps qui attend. Ici le temps est infini. Il est entêtant. C'est une prison. Il est contre les hommes. Il est à leur insu. Chaque jour est une violence. Chaque instant est une explosion. Dès 1970 la violence algérienne est dans la rue. Elle vient du temps immobile. Elle est dans ces corps qui cherchent. Qui marchent en cercles. Qui se multiplient. Chacun est le miroir de l'autre.

Chacun est la défaite de l'autre. Chaque tristesse a son relais. Chaque corps est la contamination d'un autre corps. Chacun forme la strate de l'autre. C'est un corps unique, à force. C'est un seul mouvement. C'est une attraction. Le temps algérien est une maladie. Il appauvrit. Il égare. Il est à l'intérieur des corps. Il gaine. Il enserre. Il est la désillusion même. Je ne sais pas les rues. Je vois sans traverser. La rue du Paradou. La rue du Golf. Le boulevard Zirout-Youcef. Je ne sais plus la Casbah. Je n'y vais plus. Je ne sais pas Bab el-Oued. Je n'y entre plus. Je ne sais rien d'Alger-centre. Je sais tout du désert. L'arbre unique du Ténéré. La trame du Tassili. Les tranchées du Hoggar. Je sais marcher avec les étoiles. Je ne sais pas marcher avec les hommes. Devenir un homme en Algérie. Entrer dans le manège. Suivre les cercles concentriques. Être prise au rayon. Prise au ventre de la ville.

Je deviendrai un homme avec les hommes. Je deviendrai un corps sans nom. Je deviendrai une voix sans visage. Je deviendrai une partie. Je deviendrai un élément. Je deviendrai une ombre serrée. Je deviendrai un fragment. J'existe trop. Je suis une femme. Je reste à l'extérieur de la forêt.

Je sais ma maison, la Résidence, le Parc, les sept bâtiments unis en arc de cercle, l'Orangeraie. Je ne sais pas la rue, mon interdiction. Je n'ai pas le droit de sortir seule. Depuis l'événement. La rue est mon ennemie. La rue est un vrai corps. C'est le lieu des hommes. Mon exclusion. C'est une densité. C'est un non-lieu. C'est une concentration. C'est une chair ramassée. Des murmures. Des sifflets. C'est un camp. C'est la rue qui rend fou. Elle est à l'inverse du désert. Ici les hommes s'arment contre deux extrémités, la mer et le désert. Ici les hommes s'arment contre les deux plus grands vertiges de l'Algérie. Le désert qui avance. La mer qui prend. Par ses vagues. Par ses cargos. Par ses voyageurs qui vont d'Alger-port à Marseille. Par son bateau, le *Djazaïr*. Ils montent et descendent les passerelles. Ils sont toujours chargés. À l'aller. Au retour. Ils reviennent toujours en Algérie. Ils vont de la mer à la rue. Du vertige à la perte de ce vertige. Une chute.

Le désert est sans hommes. C'est mon refuge. Depuis l'événement. J'ai accès au désert. Pas à la rue. Elle est la fosse des hommes.

La rue a ses corps et ces corps marchent avec les rats, une habitude. Ici les rats sont plus gros que les chats. Ici les rats dévorent les chats. Ici les rats attaquent les chiens. Quand les rats mangeront les chiens, les hommes de la rue seront la cible des rats. Ici les rats cherchent les petits enfants. Ainsi, on habite aux étages élevés. Ainsi, on ferme les fenêtres la nuit. On reste dans la chaleur. La peur de la nuit est en fait la peur des rats. Les rats entrent dans les appartements. C'est l'odeur du lait qui attire. Ils éventrent les nourrissons. Ils logent dans les berceaux.

Devenir un rat. Longer la ville interdite. Mon danger.

La rue est interdite depuis l'événement. Elle porte encore cet homme brun. Elle l'abrite. Je ne sais pas son nom. C'est un inconnu. Je sais son visage, une lame de couteau. Je sais sa barbe fine autour de ses lèvres rouges. Ses yeux sont noirs. Sa peau est très blanche. Ses cheveux sont très foncés. Son corps est long. Il est jeune. Il porte un costume. Cet homme est beau. Il penche sa poitrine vers moi pour me parler. Un roseau de chair. Il dit, près de mon visage. Seule sa voix existe. Sa proposition. Il parle en français. C'est un Algérien. Un Algérois. Il est calme. Ses gestes sont lents. Il a tout son temps. Il est, dans sa chemise blanche et son costume noir. Il sourit souvent. Il sait attirer vers lui. Il dit : Tu es belle. Je suis encore une fille. Pour lui. Il dit : Viens avec moi. Je n'ai pas peur. Il sent bon. Je pourrais le suivre. Tomber dans le feu et me brûler. Ses ongles sont limés. Ils brillent avec la lumière du soleil. Il porte une montre-bracelet et une ceinture de cuir. Il dit me connaître depuis longtemps. Il attend. Il m'attend près des orangers de la Résidence. Il sait mes jeux. Ma solitude. Il sait mon enfance. Sa naïveté. Est-ce l'odeur des fruits ou l'odeur de sa peau qui vient autour de moi et enserre ? Est-ce sa voix ou le silence du parc qui noie ?

Il porte des chaussures à lacets. Il prend ma main. Il répète, toujours : Tu es belle. C'est un murmure. Tu t'appelles comment ? C'est une prière. Toute l'Algérie contient cet homme. Toute mon enfance se dirige vers lui. Il caresse mes cheveux. Il dit : C'est de la soie. Il caresse mon visage. Il dit : C'est du velours. Ses mains. Sa douceur. Sa barbe. Ses sourcils. Sa main encore qui contient le monde entier. Il dit : Viens. Il regarde autour de lui. Je ne viens pas. Je reste là, près des orangers, sous le ciel bleu, avec mon corps, ma seule défense, ma blessure. Ce n'est rien et c'est déjà tout. C'est le viol de mon visage, de mes yeux, de ma peau. C'est le viol de ma confiance. C'est une immense trahison. C'est un étranger qui tient ma nuque. Il brise déjà, sans savoir. Il retire l'enfance. Est-ce la mer qui vient ou le cri de ma sœur ? Est-ce le vent qui se lève ou la force de ma sœur ? Est-ce la pluie qui s'abat ou la vitesse de notre course ?

Est-ce une fuite ou un autre jeu ? Je ne sais pas. Je ne sais plus. Je ne veux pas savoir.

Longtemps je haïrai les cris des enfants qui jouent. Leurs larmes. Leur fragilité. Leur peau de lait.

Ce n'est rien et c'est déjà tout. Ses mains sur mon visage. Ses mots sur mes yeux. Sa voix contre mes lèvres fermées. Son attention. Son désir. Sa douceur, une immense brutalité. Sa violence, algérienne.

Tu ne sais pas, Amine, qu'un homme a voulu m'enlever ? Tu ne sais pas, Amine, tous les enfants qui disparaissent en Algérie ? Tu ne sais pas, Amine, l'intelligence de ma sœur, sa rapidité ? Tu ne sais pas, Amine, qu'elle m'a sauvée, avec sa force d'enfant ? Longtemps après on ira jouer sous les orangers. Longtemps après je te dirai que c'est mon endroit préféré.

*

Ce n'est rien. Sa proposition. Sa tentative. Et c'est déjà tout. Sa voix se répète encore. Cet homme est dans ma vie. Il décide. Il finit l'enfance. Cet homme est ma défaite. Jamais je ne donnerai ma main. Jamais je ne céderai mon visage. Ce n'est rien et c'est déjà tout. Cet homme fonde ma peur. Cet homme est la peur.

Du bruit. De la rue. Des cris. Le souvenir de ses traits suivra. Il reviendra. Avec le jour. Avec la nuit. Cet homme est la mort des autres hommes. Leurs mains. Leurs voix. Des ombres armées dans mon dos. Longtemps je marche la tête baissée. Longtemps je longe les murs des grandes villes. Longtemps je plie mon corps. Longtemps je fuis les hommes. Mon feu sur leur visage. Ma haine contre leur désir. Mes gestes contre leur douceur. Longtemps je porterai cette injustice-là. Je ne veux pas entendre. Ils restent à l'extérieur de moi. Dans un aveuglement. Dans le renoncement. Était-ce plus que ses paumes sur mes joues ? Était-ce plus que son poignet sur mon bras ? Un bracelet de force. Était-ce plus que son souffle sur ma peau ? Sa tendresse. Un vol. Cet homme a volé les mains de ma mère. Cet homme me prend pour son enfant. Et plus encore. Il garde la fille. Je deviendrai un homme pour venger mon corps fragile.

Qui d'autre a su ? Qui d'autre a vu ?

Quoi de plus que l'odeur des orangers et ce ciel si bleu, ma tristesse ? Le bleu du ciel algérien me fait pleurer. Sa pureté. Sa beauté sans fond. Sa grandeur si tranquille. Son indifférence. Le bleu du ciel algérien prend tout. Il est écrasant. C'est une braise froide qui s'étend. Le

46

bleu du ciel algérien me fait souffrir. Il aggrave la pauvreté, la solitude de mon corps féminin, imparfait, la solitude des hommes qui attendent, contre les murs, sous les glycines, entre les orangers.

Cet homme incendie la rue. Elle sera définitivement dangereuse et masculine. Était-ce plus que notre fuite? Une lutte? Des gifles? Une déchirure? Ai-je senti son ventre, ses cuisses, ses épaules ou encore ses lèvres m'embrasser? Ma sœur contre l'homme. Son corps pour mon corps. Un sacrifice.

Je ne me souviens pas. Mais je sais. Cet homme me fait mentir. Ce n'était qu'une tentative. D'enlèvement.

Est-ce lui qui vient sonner à la porte? Son visage derrière l'œil grossissant. Ma sœur qui monte sur une chaise pour le voir et le reconnaître. Ma sœur contre la porte. Une cloison. Notre séparation. Ce corps qui revient, hanté par mon visage. Ma sœur qui prend un couteau pour me défendre. Ma sœur devient ma mère. L'homme, toujours. Sa respiration derrière la porte. Mon vertige.

Sait-il l'entrée de mon immeuble? L'étage de mon appartement? Regarde-t-il, d'en bas, la fenêtre de ma chambre?

Quelle nuit ai-je passée après, Amine? Je ne

me souviens pas. C'est un instant blanc. Ma mémoire ne rentre pas dans ce lieu. C'est un lieu interdit et peuplé. C'est le lieu des rêves. C'est un camp. C'est une concentration. C'est mon âge blessé, Amine.

Je me déguise souvent. Je dénature mon corps féminin. Ainsi j'oublie la voix de l'homme. Ainsi j'efface ses mains douces sur mon visage. Ainsi je nie son intention. Mon enfance creuse le désert de cet homme qui disparaît jusqu'à l'âge adulte. Puis je retrouve ma mémoire. Puis je retrouve l'inconnu. Ses traits derrière mes traits. Son masque sur mon masque. Je me travestis. Seule. Sans ma sœur. Sans Amine. C'est une négation. C'est un jeu. Je montre le secret à l'extérieur de ma chambre. C'est le silence des autres qui révèle l'erreur.

Je plaque mes cheveux en arrière. Je porte un sifflet autour du cou. Je porte un faux revolver dans ma poche arrière. J'ouvre mes épaules. J'ouvre mes jambes. Je porte les premiers jeans. Je suis la seule, ici, en Algérie à avoir des jeans de Washington DC. Par les missions de mon père. Ses voyages contre des pantalons. Son corps effacé contre des parfums, des vêtements, des produits. J'ai tous les voyages de mon père pour devenir un homme. J'ai tout son temps. J'ai toute son absence pour le remplacer. J'ai tous ses avions pour changer. J'ai tous ses océans traversés pour épouser ma mère. La sauver. La protéger.

J'ai toutes ses cartes postales pour voler ses cravates. Île de Pâques. Belgrade. Santiago du Chili. Vienne. Moscou. J'ai tous ses retours pour confirmer ma victoire. Mon père invente Brio. Mon père laisse Brio. Tu veilleras sur la maison. Ses départs fondent mon désir. Changer. Se transformer. Je deviens Brio. Mon père. Sa voix, après ses longs voyages, un chant irréel dont j'avais oublié le ton. Il dira souvent; *first class*. Être la première en tout. Être un garçon, inventé, avec la grâce de sa fille, qui existe. *First class* pour ma sœur aussi. Être ses beautés. Ses enfants qu'il retrouve. Ne pas comprendre ses longs voyages. Mais ne rien dire. Être fière. Ses billets d'avion. Ses badges de conférence. Le papier à lettres de la Banque mondiale. Ses crayons étrangers. Des signes à prendre. Des insignes à utiliser. Je me nourris de mon père. Brio contre l'homme des orangers. Brio pour toute l'Algérie. Brio contre toute la France. Brio contre mon corps qui me fait de la peine.

Brio contre la femme qui dit : Quelle jolie petite fille. Tu t'appelles comment ? Ahmed. Sa surprise. Mon défi. Sa gêne. Ma victoire. Je fais honte au monde entier. Je salis l'enfance. C'est un jeu pervers. C'est un jeu d'enfant. C'est une enfant perverse. Brio contre le chausseur. Des sandales ? Des ballerines ? Des boucles ? Non, je veux les chaussures de mon père. Ces chaussures-là, noires à lacets. Les chaussures de l'homme qui a voulu m'enlever. De celui qui pense à moi la nuit. Non, je ne veux pas me marier. Non, je ne laisserai pas mes cheveux longs. Non, je ne marcherai pas comme une fille. Non, je ne suis pas française. Je deviens algérien. *Yahya* l'Algérie. Oui, je veux encore les chaussures de mon père. Celles qui traversent l'Amérique. Celles qui nous séparent toujours. Celles de Redford, de McQueen et de Hoffman. Les chaussures des images de la RTA. Les chaussures du voyage. Les chaussures de l'absence. Des chaussures d'homme. Longtemps après j'effacerai la séparation. Par mes voyages. Sur les traces de mon père. À Boston. À Cape Cod. À Provincetown. Longtemps après je me sentirai enfin chez moi. Loin d'Alger. Loin de Rennes. Sous les arbres immenses du New Hampshire.

*

À force de jouer, je gagne. Je sais l'odeur de l'homme. Ma nouvelle odeur. Une illusion. Des gouttes de Fabergé sur le col de ma chemise. Je sais le désir de l'homme. Je sais sa folie. J'en ai la tête qui tourne. Mon corps est le centre de la terre. Je romps mon identité. Je change ma vie. Sentir mon ventre dur. Ma poitrine musclée. Mes épaules fortes. Se nier. Voir un autre visage dans le miroir. Se parler. Se penser virile. C'est une faute. Je me punis. Avec le vent qui s'engouffre sous les préaux de la Résidence. Avec la grêle qui brise les arbres de la forêt d'eucalyptus. Avec la violence des orages algériens. Avec les torrents de boue. Avec les oueds ressuscités. Avec la mer qui gonfle et noircit. Avec son humidité. Avec le froid qui tombe sur les ruines romaines. Avec les chemins trempés de Chréa. Avec le souffle froid des gorges de la Chiffa. Avec le corps mouillé des singes qui habitent les falaises. Je tombe malade. Souvent. C'est un retranchement. Dans ma chambre. Dans mon lit. Contre le regard des autres. Quelque chose ne va pas chez Nina. Elle n'est pas normale. Il faut la montrer. La soigner. Elle aura des problèmes, plus tard. Mais non, elle est féminine, elle se met de la crème tous les soirs. De la Nivéa par paquets. C'est encore un faux geste. Un geste volé. La Nivéa, ma crème à raser.

Je cache mon corps. J'apprends à étouffer. À me cacher. À ne plus manger. Mes yeux dévorent mon visage.

Nina, son regard d'Indienne.

*

Je viens souvent chez toi, Amine. Tu habites une maison basse avec un jardin fermé. Ce n'est pas le parc de la Résidence, large et dangereux. Ce n'est pas la forêt d'eucalyptus, le bruit du vent dans ses arbres. Tu ne vois pas la mer. Tu ne vois pas la ville d'Alger. C'est une maison cachée. Une sécurité. J'ai peur de ton chien Zak, un berger allemand. Il se précipite sur moi, toujours. Il sent ma peur. Il attrape mes épaules avec ses pattes. Il griffe mon dos. Il lèche ma nuque. Il m'embrasse vraiment et je n'aime pas ça. Son ventre est dur et lisse. Tu me sauves de Zak à coups de pied. Mais il recommence. Il est plus fort que toi, Amine. Sa force de chien. Tu dis qu'il est amoureux de moi. Ta naïveté. Souvent je compare les hommes à ton chien. Sa violence. C'est un aimant sur ma peau. Une sangsue qui me renverse. L'enfer de ton chien. C'est mon odeur. C'est mon corps qui l'attire. On ne joue plus dans le jardin à cause de Zak. Je ne joue plus dans le parc de la Résidence à cause de l'homme brun. On reste dans ta chambre. Elle est plus grande que la mienne. Tu es fils unique. Je deviens ta sœur. On écoute la même chanson sur ton électrophone. Moi je n'ai qu'un mange-disque en plastique rouge. Un cadeau de ma grand-mère française.

Il marche une fois sur deux. Ma grand-mère dit que c'est le voyage qui l'a cassé. L'avion. La distance. Ce pays. Cette Algérie. Son poison. Cette terre qui prend sa fille puis ses deux petits-enfants. Jami et Nina. Qu'elle aime vraiment. À force. Les filles de Rachid. Si brunes. Et Nina, la plus typée. Le portrait de son père. Ses gestes. Ses petites mains. Et son regard. Parfois inquiétant. Tu sais, Amine, que je suis née à l'Hôtel-Dieu de Rennes ? Et pas à Alger. Elle m'envoie des disques par la poste. C'est Kader, le gardien de la Résidence, qui me les apporte. On les écoute parfois ensemble mais je crois qu'il ne les aime pas. Mes disques. Mes choix. Des goûts de foire, dit ma sœur. « J'avais oublié que les roses étaient roses », « J'aime pas les rhododendrons » et la chanson de Marie Myriam. C'est mon côté français. Très français. Puis Dalida. « J'attendrai le jour et la nuit, j'attendrai toujours ton retour. » Oui, je t'ai longtemps attendue maman, pendant mes vacances françaises. Que tu m'arraches à ça. À cette tristesse.

À ton absence. Le mois d'août entier. Je t'ai même attendue dans la petite chambre d'hôtel de La Bourboule avec mon mange-disque rouge et Dalida. Je t'ai attendue pour te raconter les vacances françaises de deux étrangères.

Et tu es revenue – très belle – dans l'été. Très tendre. Pour sécher mes larmes.

On écoute toujours la même chanson sur ton électrophone, Amine. Quand nos pères sont loin d'Alger. Derrière la mer. Leurs voyages. Nos solitudes. Ton père est souvent au Japon pour l'usine de sel. Ici il y a des lacs de sel. Et des fleurs de sel. Qu'on arrache, en plein désert. Tu feras un exposé. Tu rapporteras en classe des cristaux de sel. Ce sera plus que du sel. Tout le visage de ton père tiendra dans ta main. Ses yeux. Son sourire. Ses cheveux noirs. Tu seras bien noté. Tu sais ton sujet avec des larmes. Tu sais ton père, algérien. Son métier. Ton amour. Notre chanson. *Ava Inouva**.

On répète les mots kabyles sans comprendre. C'est une langue qui chante déjà sans musique. C'est une langue pour les enfants. *Ava Inouva*. Notre comptine. On danse comme on peut. Avec nos rires. Avec notre tristesse. Encore exclus d'un monde étranger, impossible et

* *Petit Père*. D'après Idir.

fermé. On ne sait pas cette langue kabyle. On l'imite. Comme la langue arabe. C'est notre invention. C'est notre malheur. Tokyo-Washington DC. J'aurai un nouveau jean. Toi un kimono. Un kimono japonais contre le burnous de Tizi-Ouzou. Mais tu ne seras jamais japonais, Amine. Malgré tes bras croisés et tes petits pas. À force, tu parleras kabyle. Avec l'accent juste. Avec l'intonation. Mais sans le sens. Sans la chair. Tu parleras une langue squelettique.

Tu n'es pas kabyle, Amine. Malgré ta peau désespérément blanche.

*

En France on te prendra pour un Kabyle, Amine. Tu porteras la chanson d'Idir comme un tatouage. Tu porteras ma voix qui chante comme un sanglot. Ils décideront pour toi, contre ta vérité. Tu seras trahi. Mais tu ne diras rien. Ton silence est une tristesse. Ton silence est un refus. Ton silence est une omission. En France ce sera mieux d'être kabyle. Mieux qu'algérien. Moins compliqué que franco-algérien. Tu feras plus propre, Amine. Tu seras vite intégré à cette idée-là, une sécurité. Tu seras un homme mystérieux. L'homme aux cheveux d'ange. L'homme aux mains fines. Tu deviendras un seigneur. Ils penseront connaître ton secret, ton feu, ton sang, ton air triste, tes yeux, si noirs. Kabyle, un homme debout. Kabyle, un homme qui marche. Kabyle, ta fierté. Kabyle, un homme au 'poing levé. Kabyle, ton ventre soudain. Kabyle, tes épaules fortes. Kabyle, tes jambes musclées. Tu aimeras cette nouvelle définition. Ton confort. Ton secret. Ton mensonge. Tu t'y habitueras. Tu te présenteras ainsi. Ça reviendra toujours, partout, comme une maladie. Tu es kabyle, toi, c'est sûr. Tu n'es pas comme les autres. Tu seras libre et affranchi de tes parents, de leur histoire. Ne plus expliquer. Le fils de. Ma mère est française. Mon père est algérien. Kabyle, le monde à tes pieds, Amine.

Kabyle rassemblera tes deux origines. Kabyle formera l'identité. Être unique. Fait d'une souche. D'une seule tension. D'une seule ligne. D'un seul foyer. Le Nord sur le Sud. Le blanc sur le noir. Tu quitteras l'enfance. Tu me quitteras. Tu nous quitteras par ton nouveau peuple, ton invention. Tu te souviendras de la chanson d'Idir. De la joie de cette langue. De ces musiques. De ces costumes. De ces couleurs. Tu deviendras folklorique, Amine. Du rouge dans leurs soirées françaises. Du rouge à l'université. Du rouge dans leur désir. Tu diras ces regards, ces femmes, ces visages travaillés, cette résistance. Tu diras les montagnes du Djurdjura, Amine. Tu diras que ta tristesse vient de là. Ta nostalgie kabyle. Ta dépression. Tu mentiras, Amine. Tu effaceras ta mère. Tu effaceras ta vie d'Alger, les absences de ton père, ta peur algérienne. Tu deviendras un Kabyle en France. Et tu seras accepté. Ce sera encore une violence et une séparation. Tu seras, sans moi, dévoré par ce racisme-là, de peau, de couleur, d'origine. Et tu iras encore plus loin. Kabyle ne te suffira plus.

Tu diras. Je ne sais rien de l'immigration. De cette déportation. De cette misère. Je ne sais rien des usines. Des chantiers. Des constructions. Je ne sais rien des harkis. Des travailleurs. De leurs femmes. Du regroupement familial. Ce n'est pas mon histoire. Ce n'est pas mon malheur. Non, je ne suis pas un fils d'immigré. Non, je ne suis pas né en France. Je viens de la mer, des montagnes, du désert. Oui, j'ai la peau blanche. Mon grand-père avait les cheveux blonds mais j'ai perdu sa photographie. Et tu iras encore plus loin, Amine. Non, je ne suis pas comme eux. Ces étrangers. Cette souffrance. Ces enfants de la deuxième génération. Je n'ai pas leur mémoire. Je suis vraiment très différent. Non, je ne sais rien de la banlieue. Ces immeubles après les bidonvilles. Cette concentration. Ces cages d'escalier. Ces étages. Ces cités. Ces bandes. Et tu iras encore plus loin. Ils me font peur. Je ne comprends pas. Leur vie. Je n'entends pas leurs voix. Je les évite. Je change de trottoir. Je ferme les yeux. Ils ne savent rien du Djurdjura. Non, je ne suis pas comme eux. Vous voyez bien. J'ai perdu mon accent. Je ne parle plus avec les mains. Je deviens français. Je suis un homme tranquille. Tu ne seras rien, Amine. Ton corps dans les rues de Paris. Ta voix mourante. Ta solitude. Ton désert. Tes yeux baissés. Tes mains sous les manches de ton manteau. La pluie sur tes cheveux. Ton corps sans lumière. Ton renoncement. Tu seras un homme triste. Un Algérien qui se défend. Un Algérien qui se noie. Tu seras le noyé de la plage de Moretti qu'il ne fallait pas sauver. Ton visage à terre. Ton si beau visage. Tu sauras, toi, *Ava Inouva*. Ils danseront sur cette chanson. Ils te demanderont comment faire. Les mains ouvertes. Le torse bombé. Les coups de hanche. Tu leur montreras comment un homme danse autour d'une femme. Ta ronde. Ton défi. Ta vengeance sur ta proie française. Tes youyous. Tes sifflets. Tes paumes frappées. Tu te souviendras. Tu te souviendras des enfants algériens qui nous lançaient des pierres à la sortie de l'école du petit Hydra.

Tu te souviendras. Et tu auras honte pour nous.

Ava Inouva. Je reste dans la chambre d'Amine souvent. Je fuis ma maison, souvent. Je me sépare de la Résidence, un corps, de cet appartement qui tremble, une peau déchirée. Ce lieu sismique. Le lieu des crimes. Je passe de Yasmina à Nina. De Nina à Ahmed. D'Ahmed à Brio. C'est un assassinat. C'est un infanticide. C'est un suicide. Je ne sais pas qui je suis. Une et multiple. Menteuse et vraie. Forte et fragile. Fille et garçon. Mon corps me trahira un jour. Il sera formé. Il sera féminin. Il sera contre moi. Il fera résistance. Je retiendrai Nina, de force, comme un animal sauvage. On retrouve des coupes à champagne enroulées dans du papier journal daté de 1962. On retrouve des couteaux ensanglantés. Dans l'appartement. Du sang de 1962. Ma sœur naît en 1962. Au temps du crime. L'année du massacre des femmes algériennes de la Résidence. L'année du massacre de l'OAS. Leur dernier massacre. Leur esprit de vengeance. Dans ma chambre. Contre les murs de l'appartement. Sur le carrelage. Dans la buanderie. Partout. Une malédiction. On retrouve leurs armes sous les tuyaux de la salle de bains. Leur alcool. Cette folie. La fête des hommes de l'OAS.

On raconte des histoires. Du bâtiment A au

bâtiment G. Une rumeur dans cette Résidence en arc de cercle. Ce lieu hanté. Marqué. Ses bruits. Ses ombres. Ses apparitions. Le vent permanent : la plainte des femmes algériennes massacrées par les hommes de l'OAS.

Se laver dans leur sang. Être dans leur fièvre. Vivre avec l'image de ces femmes égorgées. Avec leurs cris. Avec ces gestes. En pleurer. La nuit. Prendre la violence malgré moi et devenir violente. *Ava Inouva*. Ta maison est différente, Amine. Elle devient mon refuge. *Ava Inouva*. Tu ne danses jamais avec moi. Tu ne me prends jamais la main. Ma peau est le feu. Ma voix est le danger. Tu ne me touches pas. Tu me refuses. Tu crois encore à l'enfance. À cette innocence-là. Je suis impossible. Impossible à quitter. Impossible à détester. Si attachante. Tu me regardes longtemps. Tu me désires en secret. Ta mère veut nous séparer. Elle dit. Elle répète. Son obsession : Je ne veux pas que mon fils devienne homosexuel. Elle dit le mot en premier. Elle dit mon mot. À force de traîner avec cette fille. Cette fausse fille. C'est la folie d'Amine. Son miroir. On va les changer de classe. Les empêcher. Mais c'est trop tard. J'ai déjà pris de ta chair. Je t'aime comme un homme, Amine.

Pour toi je m'invente. Avec d'autres yeux. Avec d'autres gestes. Pour toi j'ai les mains d'un homme, fortes et serrées en coup-de-poing. C'est ainsi que je vis notre histoire algérienne. En combat. C'est venger Amar. C'est venger mon père. C'est venger ma mère. C'est venger les femmes algériennes massacrées par les hommes de l'OAS. Mes mains en coup-de-poing. C'est savoir l'urgence de nos instants. Ce temps sacré. Cette perte. De cette terre qui cerne et influence. Elle prend comme un feu. Le rouge aux joues. Les montagnes brûlées de l'Atlas. Notre vie de brasier. C'est moi qui danse autour de toi. C'est moi qui allume ton corps. *Ava Inouva*. C'est moi que tu imiteras en France. C'est de moi que tu tiendras ça. Cette ronde sexuelle. Cette façon d'aller vers l'autre. De provoquer. De demander. De chercher. Toi tu ne viens jamais vers moi. Tu attends mon signe. Tu me subis. Je te traverse. Et je danse comme un homme. Je t'apprends à marcher comme Steve McQueen. Je t'apprends à jouer. Je t'apprends à nager le crawl sans t'étouffer. À te servir de la mer. Un, deux. Une nage à deux temps. Intérieur, extérieur. Ta vie à deux temps. Toi, moi, toi, moi. Je suis en toi, Amine. Tu es pénétré.

Tu as les cheveux longs, noirs et bouclés. Tu pleures pour un rien. Tu gémis. On t'appelle la fontaine. Tu fais des crises de nerfs. Je te monte à la tête. Ta peau est si blanche, si fine. Tu veilles sous la peau d'une fille. Je t'apprends les forces du corps. Je t'aime comme un homme. Je t'aime comme si tu étais une fille. Tu fondes le mensonge de toute ma vie. Le monde entier se trompera sur moi.

C'est moi qu'il faut sauver de toi, Amine. C'est moi qui suis en danger. C'est moi qu'il faut guérir et soigner. Prendre en compte. Ne pas laisser cette déviation s'installer. Personne ne m'empêche. Aucune interdiction. Ma famille, mon amour. Nina est fantasque. C'est tout. Ce n'est pas grave. Ses habits. Sa voix portée. Puis le silence pour reposer la voix folle. Nina est une artiste. Si nerveuse mais si sensible. Elle est dans un autre monde, verrouillé. Nous n'y pouvons rien. Nina, verrouillée de l'intérieur. C'est moi qu'il faut sauver. Me faire parler de force. Parle, Ahmed ! Parle, Brio ! Seul le langage sauve. Où es-tu, Yasmina ? Noyée, écartée, en dessous. Une femme étouffe. Il faut dire. Pour plus tard. Préparer. Anticiper. Mon silence construit mon avenir. Ne jamais être à sa place. À côté de soi. Ne pas correspondre à l'image donnée. Les yeux des autres. Ma fausse beauté. Être belle avant d'écrire, voilà l'enfer des autres. Voilà ce qu'ils m'imposeront.

C'est moi que ta mère doit sauver. De son regard. De sa colère. De sa voix qui m'accuse

63

toujours. La nervosité d'Amine. Ses crises. Cette folie. C'est avec elle qu'il l'attrape. Nina est la maladie d'Amine. Brio est le frère d'Ahmed. Nina est la mutilation de Yasmina. Regarde ta fille, Maryvonne. Regarde donc. Ouvre les yeux. Son allure dans la rue. Les réflexions des gens. Du garçon de café. De la vendeuse. Quand ses cousins sont en blanc, elle porte du rouge et du vert. Voilà les mots de ma grand-mère française. Son regard. Tu es un garçon manqué. Non. Mes spectateurs sont fiers de moi. Je suis.

*

Les hommes de l'OAS reviennent à chaque départ de mon père. Trois femmes seules dans l'appartement. Trois mémoires. Trois fragilités. Ma force ne suffit pas. Tout change soudain. Les voyages de mon père. Sa valise. Son imperméable. Il pleut toujours à l'extérieur d'Alger. Après la mer. L'odeur de son eau de toilette. La porte de l'ascenseur. Le bruit des câbles qui l'emportent. Puis rien. Un effacement. Juste des détails de voyage. De la séparation. Sa mallette à documents. Son air sérieux. Son air triste. Faire vite. Ne pas rester. Pas de larmes surtout. Ses costumes pliés. Son rang de chemises. Ses cravates. Ses chaussures. Cette organisation. Ne manquer de rien. Être élégant. La porte se referme. Ma sœur tourne les verrous. Ce repli. Il faut se protéger désormais. De tout. Mon père n'est plus là. Il est dans la force des réacteurs. Il est après le mur du son. Il est à l'étranger. Il devient un étranger. Un homme est seul. On ne sait pas quand il reviendra. Jamais. C'est toujours long. Tous ces océans à traverser. Ces réunions. Ces conférences. L'OPEP. Le Groupe des 24. Le Fonds monétaire international. C'est un écrasement. Je ne suis rien. Mon corps contre toutes ces voix. Ces traductions. Ces affaires mondiales. Il ne dit pas sa date de retour. Ainsi ses voyages deviennent des secrets. C'est sa vie étrangère. C'est mon désert.

Mais il revient toujours. Un mois après. Parfois plus. Je ne sais plus. Son absence est un temps mort. Un temps à combler. Mon temps de mutation. J'attends ses cartes postales, ses coups de téléphone. Sa voix inquiète. Ça ne dure jamais longtemps. Les lignes sont mauvaises. L'Algérie est encombrée. D'autres voix se greffent sur nos conversations. Des rires d'enfants. Mon père, cet homme à partager. Avec son pays. Avec son travail. Avec ma mère. Avec ma sœur. Mon père, l'homme des jalousies. Il revient pour gâter, en vrac. De tout. Une panoplie de cow-boy. Du Caprice des dieux.

Des coquillettes. Des Kool au menthol. Un tutu Repetto. Du savon Cadum. Une montagne sur la table de la salle à manger. Son absence réparée. La vie matérielle. Il revient pour aimer. Encore plus. C'est Riyad, le chauffeur, qui veille sur nous. Il fait les courses. Du fromage blanc, du chocolat Nouna, de la viande et des légumes. Il remplace mon père. Il est très sérieux. Il protège contre les hommes de l'OAS. Ces fantômes de la Résidence. Ils reviennent par le corps de ma mère. Par son asthme chronique. Par ses longs sommeils. Par sa solitude. Par sa peur. Oui, nous avons peur. Ils reviennent avec le vent. Avec la forêt noire qui sépare de la mer. Avec le parc immense. Avec le bruit de la centrale électrique qui se recharge toutes les nuits.

Ma mère étouffe, ici, en Algérie. Des mains sur sa poitrine. Ventoline. Cortisone. Tente à oxygène. Riyad, le chauffeur. Il remplace mon père. Sa conscience professionnelle. Sa façon d'être un homme. Son corps tendu. Sa tête très droite. Ses mains sur le volant. Son silence. Ses coups de frein. Sa nuque tondue. Ses oreilles légèrement décollées. La R 16 noire qui conduit à l'école, au lycée, à la mer, à l'hôpital. On va à la plage en plein hiver. Il me laisse courir comme une folle. Sur le sable mouillé. Près des vagues, immenses, des murs qui s'effondrent. Je cours seule. Avec ma force. Avec un monstre que je nourris. Le parfum de mon père reste sur le siège conducteur. Riyad m'attend sans rien dire. Il plie la tête, parfois, à droite, à gauche, en désaccord. Mais il laisse faire, ma course, le sable dans mes cheveux, le vent qui cingle mon visage. Il laisse tout ça, Riyad. C'est son intelligence. Je dormirai bien après. Grâce à lui. Il me ramène à la maison. Son petit colis sacré. Il ferme la porte. Il a le double des clés. Tout va bien. Tout va mal. J'ai peur. Je dors entre ma mère et ma sœur. Je dors avec le souffle de ma mère. Son asthme, la mémoire de l'appartement. Des couteaux sous les tuyaux de la salle de bains. Ses visions. Le sang reviendra, dit-elle.

Elle a peur pour moi. À cause de son rêve qui la hante. C'est une nuit d'orage. Je suis allongée sur une voie ferrée. Attachée. Le train arrive vite. On n'entend pas le frottement de ses roues sur les rails. On n'entend pas sa sirène. C'est une masse silencieuse et métallique. Ma mère ne peut rien pour moi. Elle n'arrêtera pas le train. Elle n'arrêtera pas la vie, sa lente et sûre progression. Je suis écrasée. Écrasée par l'Algérie. Écrasée par la France. Écrasée par ma sensibilité. Écrasée par tous mes prénoms. Écrasée par la peur. C'est Riyad qui ferme sa chambre d'hôpital.

Je vais encore chez toi, Amine. Mon père. On

dira après. Pour ne pas l'effrayer. Ta mère. Je prends Nina. Oui, elle me prend, malgré le risque. Je ne veux pas que mon fils devienne homosexuel. Ma sœur va ailleurs. Je ne sais pas où. Chez une amie, peut-être. Les filles avec les filles. Les garçons avec les garçons. C'est normal.

Ce jour-là, ta mère fait des carottes râpées avec un filet de citron. Je déteste ça. Râpé le corps de ma mère à l'hôpital. Râpées les vacances d'hiver. Râpé le bleu du ciel algérien. Râpé le retour de mon père. Je mouille mon pantalon, un accident. Tu me prêtes ton pantalon préféré, Amine. En toile épaisse et bleue. Très résistant. Je le garde longtemps. En otage. Je refuse de le rendre. Ta mère proteste. Je vis dans ton vêtement, là où précisément tu tiens ton sexe caché.

N'est-ce pas à cet instant, par ce geste, par ce vol, que prend l'homosexualité ?

Les voyages de mon père avant Noël, c'est bien. Il rapporte la liberté. Du vent sur son imperméable. Du parfum sur ses mains. L'odeur de l'avion, de l'aéroport, des valises en cuir dur, ses Delsey. Il rapporte le sucre. Du sucre avec le chapeau de cow-boy, du sucre avec la panoplie de motard, du sucre avec les chemises New Man. Du sucre. C'est ce qui manque ici. C'est le défaut de l'Algérie. Smarties, Carambar, Chocoletti contre le sel de la mer. De la douceur sur la langue. Contre l'aridité des montagnes des Aurès. Contre la sécheresse des anciens maquis. Contre les falaises brûlantes qui longent la route des ruines romaines de Tipaza. Contre les dunes immortelles du Sahel. Contre ce sable, ce vide, cette influence sur la ville, une noyade. Le sable est comme la mer. Il avance par vagues. Il recouvre vite. Il étouffe. Il détruit. C'est un raz de marée.

C'est un géant insoumis. C'est l'ombre massive des villes. C'est la nuit qui avance. C'est une menace. C'est la peur des hommes. Un jour, le Sahel prendra tout.

Pas de voyage, pas de cadeaux. On cherche, alors. C'est une traque avant Noël. Ma mère traverse toute la ville. Malgré les regards. Malgré les dangers. Un chasseur. Une mère pour ses petits. Une louve. Pour Remus et Romulus. On invente. On fait des roses en papier crépon. Des bonshommes de neige en coton. Des sapins de feutre vert. Noël en Algérie c'est le Nord contre le Sud. C'est la neige contre le soleil. C'est une fête irréelle. C'est un malaise, souvent.

On cherche, au drugstore de la rue Didouche. On prend des disques. Joan Baez, la chanson du Che, Reggiani, Brassens. Une vie politique. Si adulte. Se débrouiller. Pour Noël. On cherche encore. Tous ces jouets de Chine populaire. Des imports. Ces petits jouets faits par des petites mains chinoises. Des miniatures pour une grande fête. Je choisis un petit squelette à monter. Un squelette chinois. Toi, Amine, tu auras un circuit électrique, des vêtements neufs et du parfum d'homme. Tu rapportes tout ça chez nous. Ta profusion. Tu sembles surpris en ouvrant tes cadeaux mais tu savais déjà. Tes cadeaux. Ta victoire. Ton circuit sur ma prise électrique. Ton odeur sur ma peau. Ton blouson sur le dossier de ma chaise. Ton papier de soie sur le sol de ma maison. Ton invasion. Tu es français, là. Moi je suis très algérienne. Je suis jalouse mais je ne dis rien. Je ne serai jamais une petite Chinoise. Mes mains sont trop grandes. Encastrer les côtes dans la colonne vertébrale. La mâchoire sous les oreilles. Rassembler les hanches et le bassin. Le fémur. La rotule. Les vertèbres et l'occiput. Ce n'est pas rien. Ça prend du temps un squelette. Plus que tes rails, tes voitures, ta station-service et tes gradins. Tu joues encore, Amine. Moi je suis dans la vie. Avec ce squelette. Je joue avec la mort. Ce petit squelette. Je joue avec toi, Amine. Je te reconstruis.

C'est notre dernier Noël en Algérie. La fête des impies.

*

Fête bien Noël, Amine, c'est le dernier. Regarde bien les visages de ma mère, de mon père, de ma sœur. Retiens leur chaleur. Retiens leur amour infini. Regarde mon visage. Regarde les ruines romaines de Tipaza, ces tranchées, ces bains, ces cloisons à peines défaites. Cherche encore une pièce, un bijou, une amphore. C'est

71

le dernier geste. Plonge des falaises du Rocher plat. Épuise ton corps dans ce mouvement. Profite de la mer. C'est notre dernier bain. Regarde les vagues qui s'écrasent. Regarde le soleil qui brûle l'horizon, Amine. Prends l'air sec du désert. Crie au sommet de l'Assekrem et attends mon écho. Dévale les pentes, les dunes, les terrasses de vigne. Souviens-toi de ces visages inconnus. Souviens-toi de notre temps. Fixe les villages de Boufarik, de Cherchell et de Bérard. Traverse les fermes, les champs et les plaines de la Mitidja. Regarde la baie d'Alger pour ta mémoire. N'oublie rien. Tu fais ici ton histoire. Ton présent fonde ton avenir. C'est ton temps d'action. Tu es d'ici. Tu restes d'ici. Ta voix, ta démarche, tes gestes et ton silence. Souviens-toi des ruelles de la Casbah. Tout change si vite. Tout se plie. Tout se dresse contre nous. Nous sommes déjà dans la guerre. La guerre à peine annoncée. La guerre pressentie. Leurs regards sur la plage. Nos corps trop nus. Leurs yeux derrière les buissons. Leurs mots. Leurs insultes. Tout se presse soudain. La haine revient. La haine vient. Ils nous accusent. Ils disent. Vous êtes les pieds-noirs de la deuxième génération. Vous êtes des colons. Vous êtes encore français. Mais nous ne possédons rien.

Nos seuls corps, nos seuls visages sont des invasions.

Regarde bien mon visage, Amine, il te manquera longtemps. Mon visage est ton visage. Ma tristesse est ta tristesse. Tu voudras te souvenir. Tu n'y arriveras pas. Il te manquera toujours quelque chose de l'Algérie. Une précision. Un détail. Ça échappera comme une fuite. Ou une vengeance. Comment tout s'est renversé en Algérie ? Comment Noël, la plage, le cinéma, la rue sont devenus impossibles ? Comment la nature est devenue une prison ? Comment un peuple nous a méprisés ? Plus de sourires. Plus de chaleur. Plus un geste. Plus rien. Il faudra vite se protéger et partir. Prends ma main, Amine. C'est bientôt la fin de notre histoire. On abandonnera les roses de Blida, les dunes d'Alger-plage, la ferme du Rocher plat, cette petite échelle posée contre le plus beau récif du monde. Tu chercheras dans le sud de la France, en Corse, en Italie, aux Baléares. Mais ce ne sera jamais l'Algérie. Un pays blanc. Un pays arraché. Notre pays. Retiens les peintures du Tassili-n-Ajjer. Souviens-toi des hôtels de Pouillon, à Timimoun, à Ghardaïa, à Tamanrasset. Souviens-toi des couleurs ocre qui salissaient nos maillots. Ce feu. Ce pigment. Ce feu de la terre. Cette terre sanguine. Regarde encore mon visage, mes yeux, mes lèvres. Moi aussi je vais changer par ce départ, par l'abandon de l'Algérie. Ta blessure sera ma blessure. Tu te laisseras en Algérie. Tu ne te trouveras pas en France, Amine. Garde encore ta place ici. Prends tes instants. Pense ton temps. Tout va brûler. Tout va s'effacer. Tout va disparaître en Algérie. Nos voix, nos pas, les lieux de nos corps, notre Algérie. Tu n'aimeras pas certains pieds-noirs. Tu n'aimeras pas leurs façons. Tu n'aimeras pas leurs mots. Tu n'aimeras pas leurs regrets. Ils te diront : Tu es comme nous. Mais tu seras si différent, Amine, si différent. Toi tu aimais l'Algérie des Algériens.

Tu te sentiras seul. Seul sans moi. Seul et déporté. Tu me chercheras à Paris dans d'autres visages, sous d'autres mains, dans d'autres voix et tu ne me trouveras pas. Tu perdras, un à un, tes nouveaux amis. Tu ne lutteras même pas. Tu laisseras les liens se défaire. Ta punition. Je serai dans ton miroir. Je serai dans ton image. Je serai dans ta tête. Je serai et tu ne me verras pas. Tu seras seul à l'intérieur et à l'extérieur de toi. Mais qui saura vraiment ?

Tu ne sais pas encore, Amine, que l'Algérie te manquera comme un homme, comme une femme, comme ton enfant. Tu crois que ce n'est rien de vivre ici. Tu crois que tout passe et s'oublie. Cette terre, toi, moi. Le triangle parfait. Ta vie à trois temps. Nous sommes traversés, Amine. Chacun de tes silences viendra de mon silence. Chaque solitude viendra de l'absence. Chaque peur viendra de l'abandon. Cette terre nous construit. Tu ne seras plus rien sans elle. Sans moi. Sans nous. Tu ne sais pas encore, Amine, que sa perte est insupportable. Que l'effroi viendra de là. Que le déséquilibre viendra des massacres. Ils se tueront, un jour, derrière la mer. L'Algérie reviendra comme un fantôme. L'Algérie reviendra par la petite porte noire d'une morgue immense. Tu seras hanté. Elle suivra ton ombre. Elle mangera tes pensées. Elle te réveillera la nuit. Elle endormira tes jours. Tu paieras pour elle. Ton abandon, ta dette. Tu paieras pour elle. Tes histoires ratées. Tes amours impossibles. La mort se glissera partout. Entre toi et l'autre. Tu paieras pour elle. Elle sera ta tristesse et ta violence. Il te manquera toujours quelque chose, Amine. Ta défaite amoureuse viendra du malheur de cette terre-là. Ta malédiction. Tes histoires, Amine, ta vie intranquille, ton bras cassé.

Tu traverseras toujours le monde avec l'Algérie entre tes mains. Tu diras ton nom et ton prénom. Tu te présenteras ainsi, malgré ton visage, ta peau blanche et tes yeux étranges. Ce sera ton défi. Tu feras peur, parfois. Ce déséquilibre. Ces excès. Cette petite force. Et cette grande fragilité. Tes inventions. On ne te croira pas. Ou on te croira violent, capable de tout. Un couteau dans le dos, diront-ils. Un air faux. Une méchanceté. Tu porteras leur Algérie. Celle des massacres. Celle de la hache. Celle du sang et de la haine. Et tu iras encore plus loin. Après ta mémoire. Dans un rêve. Vers ton pays. Vers cette terre nouvelle et inconnue. Ta trahison. Tu diras : Je suis algérien. Mais tu ne sauras rien de l'Algérie des années quatre-vingt-dix, Amine. Un temps sans ton corps. Un temps sans tes gestes. Un temps sans tes rires. Et il te manquera toujours quelque chose de l'Algérie, de 1967 à 1981. Cette chose-là qui t'empêchera d'être. D'être heureux. De donner. De te donner. De ne plus craindre. Qui seras-tu, Amine ? Que sera ta vie parisienne ? Ils te croiront fou. Ils te croiront perdu. Ils demanderont mais tu ne donneras rien de toi. Ils t'en voudront alors. Ta voix portée et tes silences. Tes mains fermées. Nos coups-de-poing.

Personne, alors, ne saura ton Algérie.

Tu seras incomplet, Amine. Tu ne seras pas toi en entier. Il te manquera toujours quelque chose. Un secret. Un visage. Un fragment introuvable. Tu chercheras comme un fou.

Comme un chien. Comme un fils perdu. Ta mémoire ne suffira plus. Qui saura ta douleur ? Tu voudras l'écrire. Ton livre vivant. Ton livre fermé. Ton livre poétique. Ton livre incomplet. Tu n'arriveras pas à l'écrire vraiment. Tu te cacheras. Tu resteras étranger à toi-même sans l'Algérie. À force, tu trouveras. Quelqu'un. Ça ne sera pas moi. Mais tu te rapprocheras. Sa voix. La douceur de son regard. Ses mains fermées sur ta nuque. Ça ne sera pas ta mère. Ça ne sera pas ton père. Ça viendra dans ta vie d'homme. Tu lui diras ta peur. Tu lui diras ton manque. Tu lui diras ta différence. Tu auras mal de le dire. Mais tu lui diras. Tu diras ta France et tu diras ton Algérie. Tu trouveras ton amie. Elle s'appellera Anne F.

Tu trouveras son silence, son recueillement. Tu trouveras sa patience. Ses yeux ressembleront aux miens. Elle écoutera longtemps. Elle te saura. Tu te trouveras dans sa vie parisienne. Mais tu resteras un Algérien. Tu deviendras un Arabe. De plus en plus. Grâce à elle. Tu seras sa fierté. Tu seras sa beauté. Tu lui apprendras l'Algérie. Tu lui diras notre histoire. Ainsi elle saura tout de toi. Elle saura te protéger. Te calmer. T'endormir. Te réveiller. Elle chassera tes ennemis. Elle donnera la force. Elle rapportera, par sa voix, l'Algérie. Elle transmettra aux autres ton histoire. Notre passé. Par toi, elle deviendra algérienne. Ça ne sera pas moi mais tu me retrouveras, Amine. Ça sera ton nouveau monde. Ça sera votre solitude.

*

Je ne descends plus dans le parc. Le parc de la Résidence. Le parc de l'homme inconnu. Son lieu, désormais. Le parc de l'homme qui a voulu m'enlever. Je ne vais plus à Moretti. L'Algérie est devenue ma grande inquiétude. Je sais le jour précis du changement. De regards. De gestes. Leur réaction. C'est sur la route du Golf que ça arrive. Ma mère conduit la voiture. Des enfants montent un barrage de lianes tressées. Des cordes contre le capot de la GS bleue. Une pluie de pierres. Une pluie de crachats. Un piège. Comme si tous les enfants de l'Algérie nous attendaient là, après le grand virage qui longe le bois. Comme si toute la haine de la guerre revenait à cet instant. Avec la force des freins de la voiture. Avec le crissement des pneus. Notre dérapage. Avec les voix. Avec les coups de bâton sur la route. Avec les coups-de-poing des enfants algériens. L'enfance est le sang de la terre. Ces enfants-là sont la maladie de cette terre. Certains baissent leurs pantalons. Le corps est plus fort que la voix. Le corps est plus agressif que les mots. Leur petit sexe. Leur petite arme. Ils frappent ma mère. Ce n'est rien, des coups d'enfant. C'est doux et rugueux. C'est maladroit. C'est en désordre. Mais c'est déjà tout. Cette main levée. Cet attentat. Cette agression de l'enfant sur la mère. De l'Algérien sur la Française.

*

Je ne vais plus sur la plage de Zeralda. Les baigneurs restent habillés. En pantalon noir et en chemise blanche. Les femmes attendent dans les voitures. Des voiles sur leur visage. Une main sur la bouche. La mer est sans hommes. Elle est toujours aussi belle. Elle est seule avec le ciel. Elle est désertée. Une mer sans chair. Les hommes parlent entre eux. Ils surveillent. Baignade interdite.

Zeralda est trop proche de la ville. De son malaise. Il faut aller plus loin. Vers Tipaza. Vers Bérar. Vers Cherchell. Et encore. Ce n'est jamais assez loin. C'est toujours dans les limites de l'Algérie. Cacher sa peau. Cacher ses cuisses. Cacher son ventre. Cacher ses épaules. La mer est un vice.

*

On reçoit un colis anonyme. Une semoule crue et roulée. Sans un mot. Sans une adresse. Un colis blanc, déposé à l'entrée de notre appartement. Ce n'est pas un don. Ce n'est pas un cadeau. Une semoule serrée dans un torchon encore humide. Il faut la jeter. Ne pas la cuire. Ne pas la manger. Surtout pas. C'est un mauvais sort. El Aïne. Une semoule roulée avec une main de mort.

*

Le téléphone sonne la nuit. Aucune voix. Juste la profondeur du silence. Puis une respiration lente et forte. Un mouchoir sur le combiné. Une voix déformée. Des insultes. C'est souvent ma mère qui répond. Elle dit « allô » en français.

*

Les quatre pneus de notre voiture disparaissent un matin. On a mis des pierres à la place. Un char préhistorique. La terrible immobilité de ce nouveau temps. L'âge de pierre.

Je reçois un seau d'eau en sortant de l'immeuble. Il vient d'un balcon. Un seau d'eau sale. Une odeur d'urine sur mes vêtements. Une punition pour la fille de la Française.

*

Ça finira dans un bain de sang, répète ma mère.

*

Certains parlent du Maroc. D'autres de la Tunisie. On va quelques jours en Espagne. À Palma de Majorque. Pour marcher près des oliviers. C'est bien plus beau, l'Algérie.

*

Ta maison est fermée, Amine. La clé n'est plus derrière le petit rosier. Les volets de ta chambre sont baissés. Tout ce soleil. Il brûle les rideaux. Il jaunit le papier peint. Zak monte la garde. Il aboie souvent. Sur des ombres cachées. Sur moi. Quand je passe devant ta maison. Sans m'arrêter. Ta mère rentre sa voiture. Ils ont forcé les serrures. Ils ?

*

Je ne vais plus au cinéma Le Français. Un jeune homme a caressé mon épaule puis mon bras. Dès le début du film. *Le Bon, la Brute et le Truand.* J'ai changé de place. Il m'a suivie. J'ai quitté le cinéma. Avec la haine.

*

Les fermiers se cachent derrière les buissons du Rocher plat. Ils regardent les corps. Les corps nus des filles. De ma sœur. De ses amies. Selima, Fedia, Manina. Leurs bains. Leurs rires. Moi aussi je regarde. Ces peaux. Ces visages. Cette joie de vivre. Leurs secrets. Leurs cigarettes. L'huile de palme. Les cristaux de sel qui scintillent dans leurs cheveux mouillés. Une violence infinie.

*

Je ne prends plus de cours de tennis avec Mr B. Un jeune fou a taillardé le filet à la serpette.

Un rat devant la porte de mon appartement. Impossible de rentrer. Il crie. Il montre les dents. Je vais chercher Kader, le gardien. Il perce son ventre avec une fourche. Qui va nettoyer son sang ? Son sang de rat ? Rouge et bouillonnant.

*

Le 10 octobre 1980, la terre tremble en Algérie. À El Asnam, on dit que la terre béante s'est refermée sur les corps. Qu'elle les a mangés vivants.

*

Il neige sur Alger. Il neige sur la Résidence. Du givre sur la forêt d'eucalyptus. Des plaques de glace sur la mer. Rien ne va plus.

*

En centre ville, un homme poursuit des enfants avec une hache. Il frappe dans le désordre des courses. À l'aveugle. Il blesse, sans

savoir. Ma mère a tout vu. Elle me racontera.
C'est donc cela « perdre la raison » ?

*

Les programmes étrangers sont arrêtés.
J'attends « Le Fugitif ». J'attends « La Piste aux
étoiles ». J'attends la musique terrifiante des
« Dossiers de l'écran ». J'attends jusqu'à minuit
puis je compte les pylônes lumineux qui déli-
mitent les plaines de la Mitidja.

*

Ne pas boire l'eau du robinet. Laver la salade,
les légumes, à l'hydrochlonazone. Stocker des
caisses de Saïda et de Mouzaïa. Se laver les
mains. Se déchausser. Manger très cuit.

*

J'attrape une fièvre violente. Elle dure cinq
jours. Elle est inexplicable. Elle va jusqu'à l'âge
adulte puis disparaît.

*

Je me réveille toutes les nuits. J'essaie de
comprendre. Que se passe-t-il, soudain. C'est

comme la fin d'un amour. Des petits signes qui ferment lentement l'histoire. J'ai souvent peur. Je déambule. Je traverse l'appartement. Je cherche. Je vais jusqu'au miroir. Au bout du long couloir. Je vois un vieil homme avec une chéchia rouge et des dents noires.

*

Tu es de plus en plus difficile à voir, Amine. Tu dis que c'est dangereux de traîner ainsi. Même dans le jardin. Même dans ta chambre. Dangereux d'écouter *Yellow Submarine* à tue-tête. Tes murs ne sont pas assez épais. Ta mère a gagné. Mais qui est la plus dangereuse ? Moi ou l'Algérie ? Où est la différence ? Je prends tout de l'Algérie.

*

Un rêve revient. Chaque nuit. Un cauchemar. C'est un rêve si fort et si précis qu'il me réveille. C'est une annonce. C'est un rendez-vous. Ma nuit est sombre. Vient la main de mon père sur mon visage fiévreux. Vient la main de ma mère qui donne un verre d'eau glacée. Vient la main de Rabiâ, prolongée. Viennent les mots de ma sœur, son extrême attention et sa patience. Vient encore la voix de Bachir, ressuscitée. C'est cette gêne, toutes les nuits, qui me fera quitter Alger l'été. Ce pressentiment. Cette nuit profonde. Partir. Prendre l'air. Nina doit respirer. Nina, si sensible. S'éloigner du rêve. Du pays de ce rêve. Voilà mes grandes vacances. Le feu entre dans ma chambre. Un assaut. Je sais. Je sais l'avenir de l'Algérie. Comme je savais le séisme. Je sais le sang, bientôt. Il suffit de regarder. La tristesse. Ces visages fermés. Ces nouveaux gestes. Les visions de ma mère. Ce sera facile de l'écrire. De le dire après. Mais c'est vrai. Il suffit de regarder. D'écouter l'Algérie. L'Algérie, ce pays seul au monde. Cet abandon. Cette grande solitude. La vengeance de la France. Dans mon rêve, les hommes se dévorent entre eux. Chacun pour soi. L'un contre l'autre. Ce ne sera plus entre le chat et le rat. Ça sera bien plus grave. Il n'y aura plus d'excuse. Plus d'indulgence. Plus de femmes, plus d'enfants, plus de vieillards. La guerre pour tous. La guerre contre tous. Juste des corps à brûler, à piller, de la vie à défaire. La vie algérienne. Si précieuse. Je te raconte mon rêve, Amine. Tu as peur de moi encore. Ta mère avait raison. Tu crois à ma folie. Tu crois à mon extravagance. Oui, je me prends pour un homme. Mais un homme qui voit. Un homme qui sait. Toi tu es empêché par ton enfance. Ton inconscience. Ce rêve fera écrire. Mon secret. Écrire. Me sauver du monde. De ton regard. Perdre Alger. Perdre l'Algérie. C'est impossible. Mais ça arrivera, Amine.

Je dois partir. D'abord l'été. Tout m'étouffe ici. La mer s'évapore avec la chaleur. Les nuits sont difficiles. Tremper les draps. Dormir sur le carrelage frais. Attendre le jour. Fuir le rêve en veillant. Partir. Te quitter, Amine. Aller chez mes grands-parents français. Aller vers une autre guerre. Fuir le rêve des massacres. Le rêve d'acharnements. Fuir toutes les armes blanches qui brillent dans ma nuit. Tu sais, Amine, les massacres, « les violences en Algérie », comme ils disent. En France ils t'en parleront sans t'écouter. Ils te demanderont sans t'entendre. Ils voudront savoir. Par toi, par ta peau, par ton corps, par ta voix qui raconte, ils se rapprocheront de l'Algérie. Et ils oublieront. Ce sera leur bonne action, leur intérêt d'un jour, d'une nuit. Ils diront les noms des villages, des routes, des montagnes, mais ils ne sauront pas vraiment ces femmes, ces enfants, ces hommes. Toi tu sauras l'intimité de leur douleur. Ton partage. Ta participation. Tu sentiras dans ton ventre cette tristesse effroyable. Non, ils ne sauront pas. Ils y penseront un temps. Ils n'y penseront pas toutes les nuits. Pas comme toi, Amine. Ils n'auront pas ton obsession. Tu chercheras. Les journaux algériens. Les radios algériennes. Les images retransmises. Tu chercheras. Sur une carte routière. Dans un atlas géographique. Avec ta mémoire. Tu chercheras tes amis, tes voisins, tes professeurs. Tu n'auras aucune nouvelle. Ce silence sera déjà la mort. Ils te parleront de cette violence en Algérie. Celle qu'on a vue couver. Celle qu'on a vue arriver. Sans savoir, ils te parleront de la fin de notre histoire. Tu diras : Je sais. Tu diras : Je savais, par le rêve de Nina. Ils diront que tu ne sais pas. Que tu ne vis plus là-bas depuis longtemps. Que ta douleur n'est rien. Qu'elle est indécente. Voilà ce qu'ils diront de toi. Que tu es français. Que tu es sauvé. Loin de ce pays désormais étranger. La France, ta seconde patrie. Tranquille. Un homme beau et tranquille. Voilà ce qu'ils diront de toi. Que tu ne ressembles même pas à un Arabe. Que tu n'es pas assez typé. Tu diras : Mais les Algériens ne sont pas des Arabes. ARABE contiendra toutes leurs névroses, tous leurs fantasmes. Tout ce qu'ils n'obtiendront jamais de toi. Et ils diront encore. Tu n'es rien. Tu n'es même pas un réfugié. Qu'est-ce que tu sais de la souffrance ? De cette terreur ? De cette vie-là? Tu auras honte alors. Honte d'avoir peur dans la rue. De te sentir suivi. De fermer la porte à double tour. De ne pas donner ton numéro de téléphone. De ne pas mettre ton nom sur la boîte aux lettres. Mais tu n'auras pas peur des Algériens. Tu auras peur des Français, de leur violence, de leur soif de sang, de leur désir d'histoires. Tu auras peur de ces vampires-là. De ceux qui veulent tout savoir, tout connaître, tout comprendre du mystère algérien. De la question algérienne. Ils te demanderont. Ils se nourriront de toi. Sans jamais te dévorer. Sans jamais te saisir. Sans jamais te comprendre. Ils ne sauront pas que ton corps est resté là-bas. Par notre histoire vivante. Toi tu savais déjà la fragilité des enfants. Ma tentative d'enlèvement. Nos précautions. Nos interdictions. Ils ont ton âge ceux que tu vois. Ces guerriers. Ils ont tes yeux. Ils ont tes cheveux. Ils ont tes mains. Tu les vois aux informations. Ces prénoms. Ces voix. Ces gestes. C'est toi que tu regardes. C'est moi que tu contemples. J'aurais pu te frapper. Te blesser. T'étouffer. J'aurais pu te tuer avec mon amour. Tu te sentiras coupable de ne pas avoir dit. De ne pas avoir prévenu. Que tout se préparait lentement, par petits signes, par petits silences. Que tout se détachait déjà. Comme notre séparation. Ces années où tu dansais, toi, en Algérie. Boney M., Abba, Santana. Ces années où tu chantais, avec moi, en Algérie. Faïrouz, Idir, Abdel Wahab. Toi tu riais. Avec moi. En Algérie. Tu plongeais des falaises du Rocher plat. Tu prenais le soleil. À Moretti, au club des Pins, à Zeralda. Tu marchais sur la digue de Sidi-Ferruch. Tu vivais. Entre les Aurès et l'Assekrem. Tu traversais le désert à pied. Tu étais le petit prince du royaume. Tu vivais. Entre Bejaïa et Cherchell, entre Blida et Mostaganem. Dans ces lieux-dits et répétés en France. Ces illustrations. Ces terrains de violence.

Rennes

Je quitte Alger, son été brûlant. Je quitte la forêt d'eucalyptus. Je quitte la Résidence, les Glycines et l'Orangeraie. Je quitte mon appartement. Je quitte la mer blanche et figée, les plaines de la Mitidja, le sommet de Chréa. Je pars pour deux mois. C'est immense de quitter Alger. Mon départ semble impossible. Ou définitif. Cette ville est dans le corps. Elle hante. La quitter est une trahison. Elle pourrait se venger. Porter malheur. Sa séparation est violente. Elle est dans la chaleur, dans l'air épais, dans toutes les odeurs décuplées. Du pin brûlé, de la terre sèche, du sable rouge. Ça sent l'été. Ça sent la mort aussi. Des boules antimites dans mes affaires d'hiver. Des draps blancs sur les meubles. Les volets baissés. Nos chambres rangées. C'est une guerre contre le soleil. Partir. Pour les grandes vacances. Pour respirer, dit ma mère. Pour les bronches, la gorge et les pou-

91

mons. Pour les bronchites asthmatiformes. Pour fuir le rêve. Le massacre annoncé. L'air étouffe ici. Il est épais, chargé de cendres. Il vient des montagnes qui flambent. Une ligne rouge autour de la ville. Je suis habillée pour partir. Un grand voyage. Habillée pour quitter Alger. Pour me quitter. Habillée pour quitter ma vraie vie. Les jeans, les shorts, les maillots en éponge, les claquettes, les cheveux ébouriffés, ça va pour ici. Pas pour la France. Être présentable. Bien coiffée. Faire oublier. Que mon père est algérien. Que je suis d'ici, traversée. J'ai le visage de Rabiâ. J'ai la peau de Bachir. Rien de Rennes. Rien. Qu'un extrait de naissance. Que ma nationalité française. Faire oublier mon nom. Bouraoui. Le père du conteur. D'*abou*, le père, de *rawa*, raconter. Étouffer Ahmed et Brio. Dissimuler. Ma grand-mère aime les vraies filles. Oublier que mon corps est fait pour la lumière, le sable et les vents de sel. S'excuser, voilà la raison de ce départ. De ces grandes vacances forcées. Excuser ma mère. Tu n'épouseras pas un Algérien. Excuser par mon corps, si doux, si tendre, cette séduction. Cette histoire entre la Française et l'étudiant algérien. Excuser 1962. Excuser l'Algérie libre. Mon corps contre les hommes de l'OAS. Mes yeux sur leurs gestes. Ma voix au-dessus de leurs ordres.

Excuser cette alliance. Ma sœur, moi, à l'Hôtel-Dieu de Rennes. Le butin de ma mère. Ses filles, ses trésors. Les montrer. Les donner. Pour les grandes vacances. Pour se faire pardonner. Les filles du gendre algérien, qui parle très bien français. Menu et raffiné. Des petites si bien élevées.

Je porte un pantalon très fin, très fille, imprimé de petits cœurs rouges, des taches, du sang, qui se répètent sur un chemisier à manches courtes et bouffantes. Un ensemble Daniel Hechter. Un ensemble que je déteste. Mon déguisement. Ma peau française. Partir. Chercher mon second visage. Ne jamais le trouver. En souffrir. Tenir sa langue. *One, two, three, viva l'Algérie!* Effacer son accent. Être dans la nostalgie. À jamais. Dans le manque. De ma mère. De mon père. Ne pas dire que je viens d'Algérie. Ce pays, cette terre encore lointaine. Entendre. Tu vis *en* Alger. Tu as une voiture ? Tu manges à ta faim ? Dans les années soixante-dix, les Français ne sont pas encore très habitués aux Algériens. Aux nouveaux Algériens. Aux mariages mixtes. Aux immigrés. Ils sont encore dans l'image de la guerre, du désert, du fellagha et des maquis.

On sera les seules filles d'Alger sur la plage glaciale, immense, bretonne et familiale du

Minhic. Ma sœur et moi. Deux corps bruns et nus. Deux orphelines. Avec nos visages algériens et notre langue française. Qui saura la violence de ce secret ? On mentira souvent. On fera semblant d'être deux étrangères. Deux exilées. Ce n'est pas l'Algérie qui manquera vraiment. Ce sera l'habitude des voix, des visages, des vagues vertigineuses, de la chaleur. On mentira souvent. On dira notre pays, l'Algérie, notre ville, Alger, notre désert, Taghit, notre plage, Moretti. Comme pour se faire aimer de l'Algérie. Et on saura le danger de ces lieux. Cette violence. On la saura avant les autres. On la subira aussi avant les autres. Le rejet de l'Algérie. Notre séparation. Ce n'est pas la France qu'on détestera. Bien sûr que non. Ce sera l'idée d'une certaine France. De certaines familles. Dans leurs plis. Leurs habitudes. Leur repli. Dans leur complexité. Et leurs complexes. Dans leur héritage. Ce n'est pas cette langue française qui gênera. C'est la seule qu'on pourra comprendre. Ni la plage. Ni ces nouveaux prénoms à apprendre, à appeler. Rémi. Marion. Olivier. Ces prénoms français. L'inverse d'Amine. De Feriale. De Mohand. Ça se trouvera au cœur des familles rencontrées par hasard. En vacances. Dans leur haine tissée. Dans leurs jugements. Dans leurs sentences. Les Arabes dehors. Dans leur impossibilité à aimer vraiment ce qui est étranger. Ce qui est différent. Ce qui échappe. Dans cette incompatibilité. Entre eux et nous. C'est de l'inhumanité de ces familles-là que viendra ma haine d'une certaine France. De ces cas particuliers. Pas de la géographie ni des habitants. Ou alors d'un espace strict, intime et minuscule. Une géographie familiale. Le lieu du règlement de comptes.

Partir. Quitter l'ennui qui vient avec l'été, la torpeur, l'immobilisme de la ville, ce silence qui ressemble à une chute. Ça vient du ciel. Ça vient du soleil. Ça tombe sur la terre. C'est une force d'inertie. Quitter les journées brûlantes et les plages de feu. Aller jouer ailleurs. Faire semblant. Porter de vraies chaussures. Des chaussures qui ferment. Ne pas manger avec ses doigts. Dire bonjour et merci. Porter des robes. Se taire. Retourner vers l'origine, vers le premier cri, vers le premier sang, Rennes. Je pars avec ma sœur. Nous allons « respirer » ensemble. Respirer l'air de la France, l'odeur du gazon, de la terre mouillée, de la Manche, du goémon. Respirer l'air de la mort. Des cimetières bretons. Des villages de granit. Des grilles du jardin. Des haies taillées. De l'allée de gravier. Des sièges de la voiture. De la brioche et du chocolat. Du grenier. De la cave. Du cabinet dentaire. Des chambres jaune, rose et bleu. De ces fleurs fraîchement coupées. De cette nourriture française. Rôti de porc avec pommes. Poule au pot. Galettes de sésame. Andouille. Jambon à l'os. Respirer. À pleins poumons. L'odeur de la plage du Pont. Des cheveux de Marion. Respirer et entendre. Leur histoire. Le moteur de leurs voitures. Entendre. Les réacteurs de l'avion qui nous emporte. Les portes du train qui se referment. Le train Corail. Ce glissement. Ses portes-soufflets. Sa voiture-buffet. Cette tristesse. Cette odeur partout, sur ma peau, dans mes mains, sur mes vêtements. Entendre encore la voix du contrôleur français. Alger-Rennes. Il n'en sait rien, lui, de Ghardaïa, de Timimoun, de Djanet. Il fait juste la ligne du Mans-Vitré-Laval-Fougères-Rennes. Voilà son désert. Voilà son monde. Son infini.

Il n'en saura rien, lui, des femmes égorgées, des enfants brûlés, des ventres ouverts, des yeux crevés. Non, il n'en saura rien. Comme il ne sait rien de moi. Que je garde autour de mon cou la pochette d'Air Algérie. Au cas où. Que je porte sur ma poitrine toute ma vie. Yasmina Bouraoui. La Résidence. 63-22-92. Alger, Algérie. Comme il ne sait rien de mon ensemble Hechter. De sa couleur. De sa forme. De son coton. De ma haine de devoir porter ça. Comme il ne sait rien de cet amour que je viens chercher à Rennes. Pour ma mère.

Et entendre encore. Le bruit des cloches. Voilà la France. C'est cette église qui sonne. Cette messe que j'ignore. C'est leur médaille de baptême. Leur jupe bleu marine. Leurs cheveux longs et attachés. Ces chants. Ces signes. Ces prières. Leur communion solennelle. Cette langue étrangère. Quitter Alger. Le regard des hommes, l'incendie, le ciel, les orages de chaleur. Fuir la violence de cette terre. L'emporter avec moi. L'exporter en France. En Bretagne. À Rennes. À Saint-Malo. Je vais à la guerre. Je prends le foulard de ma mère. Son odeur. Son parfum. Cette soie sur ma joue. Mon arme. Elle rejoindra plus tard. Après. À la fin de l'été. Après le changement des corps. C'est en Bretagne qu'elles vont grandir, prendre des forces, rattraper le temps, combler le défaut de ce pays, cette sécheresse, cette Algérie sauvage, disent-ils.

Partir puis rentrer en septembre avec un accent français, un défaut de langue qu'on perdra vite.

*

Il est sur le quai. Il attend. Il perce de tout son corps, grand et mince, le lieu, cette gare, cette station, ce terminus. Il nous voit mais il ne vient pas. Il reste à un point précis de la gare, aux arrivées. Il ne court pas. Il ne traverse pas la foule. Il se tient très droit. Et immobile. Il est plus grand que tous les voyageurs qui arrivent. C'est le père de ma mère. Notre grand-père français. C'est avant tout le père de ma mère. Sa relation. Sa guerre d'Algérie. Il est en chemise blanche à manches courtes. Un veston sur son épaule. Un pantalon beige. Notre grand-père. Il ne fait pas son âge. Il porte un collier de barbe. C'est le seul homme que je connaisse à couper sa barbe ainsi. Personne ne fait ça en Algérie. Ils ont la moustache, la barbe courte ou longue mais pas de collier. Pas ce signe particulier qui le définit. Notre grand-père français. Se tailler la barbe. Se laisser pousser la barbe. C'est un acte. C'est une reconnaissance aussi. Un jour, on dira les barbus d'Algérie. Mais pas de collier. Non. Ou alors le collier du mouton, du méchoui, de la fête, de l'Aïd. Cette gorge étranglée. Pas cette barbe mince et dessinée. Une symétrie dans ce visage large et fort. Autour de cette bouche charnue.

On arrive d'Alger. El Djazaïr. La peau encore brûlante. Les gestes encore méfiants. Surveiller. Regarder autour de nous, ces hommes, ces femmes, cet enfant qui suit. Rentrer dans le lieu,

avec l'odeur, sur nos vêtements, du train Corail.
Avec le goût, dans la bouche, du sandwich au
jambon. Avec la certitude d'être en France.

Je suis à Rennes. Je suis toujours à fond dans
le lieu que je traverse. Je suis dans cet instant, là.
Cette permanence. Cette vérité. Ainsi, j'efface
vite tout ce qui précède. Je ne sais plus rien de
l'avion, du voyage, du vol, de la cabine de pilo-
tage, de l'hôtesse, de ses gestes, de son attention.
J'ai déjà tout brûlé. Par vengeance. Moi je ne
voulais pas partir. Je suis à Rennes. Mon lieu de
naissance. Je ne sais plus rien de la police, de la
douane, des passeports, de la salle réservée aux
enfants-non-accompagnés. Je serai toujours une
fille non accompagnée. À quinze ans. À vingt
ans. À trente-deux ans. Toujours. J'aurai toujours ce vertige de solitude. Cette excitation
aussi d'être seule avec son corps, avec sa voix.
De se suffire à soi-même. De fuir les autres. De
se cacher. De marcher seule. Je ne sais plus rien
de la route moutonnière. Des rangées de palmiers. Du fleuve el-Harrach. Cette route,
mythique, de l'aéroport, Dar el-Beïda. Je ne sais
plus rien des visages, des mots, des larmes peut-
être, de la séparation, d'Orly, de l'ami qui vient
chercher, de la gare Montparnasse. Je ne sais
plus. J'ai tout détruit. Par vengeance. Je suis à
Rennes. C'est toujours comme ça, ma vie. Son

exagération. Son extrémisme. J'efface tout si vite. Je suis dans la seconde. Je préfère la sensation immédiate. Ainsi je prends la force du temps. Ainsi je prends la violence d'être là, en vie, à Rennes.

Je porte ma valise à deux mains. Une énorme valise. Mes affaires de vacances. Ma vie algérienne et rapportée. J'aurai toujours une grande valise. Comme tous les Algériens. Comme tous ces étrangers qui descendent du train, du bateau, de l'avion, chargés. Une maison entière dans les mains. Une identité à soulever. Une famille à déplacer, à emporter. Tous ces petits souvenirs. Toutes ces petites marques. Des vies matérielles. Un jour, on fouillera ces valises suspectes. On parquera les Algériens au fond des aéroports. Dans un sas spécial. Avec un desk particulier. Après une porte dérobée. On fouillera, avec des gants, les affaires et les corps de ces hommes, de ces femmes, de ces enfants. Algériens, passagers très dangereux. Ces bombes humaines. Ces gens de la guerre. Ces terroristes par leur seul visage, par leur seul prénom, par leur seule destination. Benaknoun. Le Telemny. Cité Saint-Eugène. Très dangereux. Les mains levées. Reconnaissez votre valise. À qui est cet enfant ? Que faites-vous en France ? Ces étrangers. Ces bêtes à chasser du territoire français. On cherchera la hache, le couteau et l'explosif. On fouillera pour la sécurité, diront-ils. Mais aussi pour salir et rabaisser. Parce que la guerre d'Algérie ne s'est jamais arrêtée. Elle s'est transformée. Elle s'est déplacée. Et elle continue. Dans ma douleur à porter cette valise trop lourde. Sur le visage de Jami, ma sœur aînée. Ma petite sœur soudain, au visage blessé, qui va, avec toutes ses affaires et sa robe rouge. Qui va, encombrée. Qui va, avec sa peau brune et ses grands yeux verts. Qui va, de toutes ses forces, vers cet homme immobile. Notre grand-père français.

*

Il est là, immense et fort. Il serre nos deux corps contre sa taille. Il fait un peu mal. C'est l'émotion. Ses lèvres sur nos fronts. Ses mains autour de nos épaules. Cet air surpris de nous voir enfin. Après un si long voyage. Il semble heureux. Ses deux petites-filles. De Rennes et d'Alger. Ses deux enfants de l'Hôtel-Dieu. Ses deux amours désormais. Jami et Nina. Leurs yeux, leurs cheveux, leur peau. Tout passe avec le temps peut-être. Tout s'efface. Il demande. C'est Jami toujours qui répond. Avec une autre voix. Sérieuse et contrôlée. Oui nous avons fait bon voyage. Oui ils vont bien. Mes larmes aux yeux. Ce manque soudain. De ma vie. De mes amis. Ce mouvement. Toute cette agitation. Les wagons qu'on détache en hurlant. La voiture de tête qui fume. Les chariots à bagages. Les porteurs. Les sifflets. Les voyageurs qui bousculent. Cette fatigue. Je hais les gares. Je hais les trains. C'est la mort soudain. C'est trop près de la terre. De ce ventre qui attend. Qui recouvrira. Cette terre des corps. Je préfère les aéroports. Les avions. Plus proches du ciel. De la vie rêvée. Des nuages. Les trains. Les trains de la mort. Tout ce monde. Ces grandes vacances.

Moi je suis en vacances de ma vie algérienne. Tous ces cris. Ces bouées, ces épuisettes, ces bateaux gonflables. La mer n'est pas loin. Dinard. Saint-Malo. Saint-Lunaire. Saint-Briac. Tous ces enfants blancs qui courent vers le soleil froid. Vers les vagues glacées des côtes bretonnes. Tous ces petits corps déjà morts. Ces enfants blancs. Leur petit torse. Leurs petites côtes. Leurs petits genoux découverts. Des tricots, des bermudas, des chemisettes, disent-ils. Leurs mots très français. Mon accent à perdre. Ils ne sauront jamais sauter des falaises du Rocher plat. Ils sont trop fins. Ils sont trop blancs. Accrochés à leurs mères. Assistés. Sécurisés. Dans ce pays calme et riche. Dans cette profusion. Dans leur sommeil. Moi je reste à l'affût. Toujours prête à m'enfuir. À courir plus vite que les autres. À être mobile. En grande vie. Ces enfants-là ont l'air malades.

Tous ces regards sur moi. Sur mon ensemble Daniel Hechter. Un pantalon de fille. Sur ma valise. Sur ma pochette Air Algérie. Sur ma peau brune et mes yeux dorés. Des yeux de serpent. Une vipère à cornes. Nina, le poison. Il dit : Mes petites-filles. Il rattrape le temps. Le temps de la guerre. Ce temps perdu. Mes larmes aux yeux contre l'Algérie française. Contre la France aux Français. Contre cette Bretagne évidente qui m'envahit et m'efface. Avec tous ces corps blancs qui courent vers les trains. Avec toutes ces familles réunies pour les grandes vacances. Ils ont tous les mêmes mots. Les mêmes images. Les plages. Les clubs Mickey. Les promenades sur la digue. La gaufre du soir. Au chocolat ou au sucre glace. Le sable frais sous les pieds. La mer qui se retire si loin. La grande marée. Puis la marée d'équinoxe. Le moniteur de cata. Les leçons de planche à voile. Cette petite vie bien organisée. Cette ronde d'été.

Cette petite mort en attente. La mort de ces petites familles bourgeoises. Savent-elles Tipaza et Bérar ? Auront-elles assez d'amour pour entendre les histoires d'une Algérie qui se noie ? Assez de temps ? Assez d'intérêt ? Qui regardera vraiment le corps de cet enfant décapité ? Qui ? Mon grand-père ? Ma grand-mère ? Marion, l'amie française ? Qui, à part la mère de cet enfant ? Qui saura le danger de la nuit qui tombe sur les plaines de la Mitidja ? Et dans la forêt de Baïnem ? Et des routes désertes ? Et des faux barrages ? Le danger du moindre bruit. Pas ce brouhaha. Pas cette gare qui grouille. Leurs mots. Leur accent. Leurs rires. Le bruit des roues métalliques sur les rails. Un écrasement. Je suis orpheline, soudain. Orpheline et déliée.

*

Tout me sépare de ma vie algérienne. Tout. Ce bruit. Cette gare. Ces voyageurs pressés. Mon grand-père. Qui ne dit rien sur Alger. Sur ses plages. Sur le soleil. Sur la chaleur étouffante. Sur la vie de plus en plus difficile des Algériens. Sur l'avenir des Algériens. Sur la souffrance des Algériens. Sur le manque. Sur les pénuries. Sur la violence naissante. Rien. Il demande des nouvelles de mon père. Ses dernières missions. Son tour du monde. Son travail. Ses responsabilités. Ça tombe bien, mon père n'est pas un ouvrier. Pas un travailleur immigré.

Pas de ceux-là qu'on a dû vite loger dans des baraquements, des bidonvilles, des villages Sonacotra. Sans eau. Sans électricité. Ceux qu'on a humiliés. Qu'on a regroupés. Qu'on a isolés. Qu'on a tardé à instruire. Par peur de la révolte. Qu'on a exploités. Qu'on a ramenés d'Algérie. Comme une denrée. Des mains fortes. De la chair ouvrière. Des hommes. Puis leurs femmes. Ramenées. Comme des paquets. Par la poste. Par ces bateaux bondés. Dans une inhumanité certaine. Cette honte. Lente à accepter. À reconnaître. Cette honte française. Non, mon père est économiste. Tant mieux. Il voyage beaucoup. Ouf. C'est un Algérien diplômé. Bravo. Un haut fonctionnaire. Encore mieux. Il demande ensuite des nouvelles de ma mère, sa santé, sa vie, son nouveau travail, avec un ton grave. Sa fille. Il l'appelle Méré. Je n'ai jamais su pourquoi. Méré. *Mare. Mare Nostrum.* Notre mer. Ma mère, en Méditerranée.

Après les escaliers de la gare de Rennes, après ce bruit métallique qui semble me suivre partout, après le regard des enfants blancs, voilà la voiture de mon grand-père. Sa fierté. Son carrosse. Que des américaines. C'est sa petite folie. Ford. Buick. Chevrolet. Ces grandes portes. Ces roues brillantes. Ces détails. Une banquette à l'avant. Cinq places à l'arrière. Un volant en cuir. Vitesses automatiques. Pédales larges. Conduite fluide. Couleur irisée. Capot fuselé. Coffre familial. La grandeur des États-Unis. Des voitures à sa taille. Là il déplie ses grandes jambes. Là il conduit avec ses grandes mains. Fortes et musclées. Ses mains de dentiste. Ses mains de père en colère. Deux petites Algériennes dans la grande voiture américaine. C'est si drôle. De Moretti à Buick. D'Alger-plage au siège cinq places. De l'aéroport Dar el-Beïda à la maison du Thabor. Ford. Buick. Chevrolet. J'ai vomi, je crois, dans chacune.

*

Il dit : Demain je regarderai vos quenottes.
Les dents de la chance, Nina.
Client, confrères, arpète.
Cabinet.
Aller chez la concurrence.
Le clou de girofle apaise la douleur.
L'aquarium de la salle d'attente détourne la peur.

*

C'est la petite chienne que j'entends en premier. Elle aboie derrière la porte de la maison. Un petit teckel à poil ras. Si gentille. De petits

106

yeux si expressifs. Une odeur de noisette derrière les oreilles. Dans la rue, elle tricote des papattes. Une vraie bouillòtte la nuit. Elle comprend tout, la petite chienne qui aboie. Tout sauf l'Algérie. Tout sauf ce voyage étrange. Cet arrachement. Tout sauf ma tristesse. Tout sauf ces regards sur mes cheveux courts. Nina, un garçon manqué. Nina, une fille ratée. Nina, à force, il te poussera un zizi. Ou une barbichette.

Attention à son petit cœur, surtout. Si fragile. Si attendrissante. Comme un enfant. Elle vous a tout de suite reconnues. C'est incroyable ! Attention aux voitures ! Elle est folle de joie. Elle saute aux mollets et lèche les jambes. Moi aussi je lui parlerai à l'oreille. Je lui dirai qu'en Algérie on n'aime pas les chiens. Qu'on les tue à jets de pierres. En souvenir de la guerre. L'armée française s'en servait contre les musulmans. Depuis, les Algériens ont très peur des chiens. C'est humiliant de se faire dévorer par un animal. Ça ne s'oublie pas.

Ma grand-mère sur le perron de la grande maison blanche. Son air heureux. C'est les vacances. Mes petites. Mes enfants. Vous devez être affamées. Toutes brunes. Toutes bronzées. Nina, le portrait craché de son père. Je vous ai mises au premier, dans la chambre au lit bateau. Ma chambre préférée. J'ai ajouté un petit lit pour Nina. Moi je sais que je dormirai tout contre ma sœur. Contre sa peau. Avec son odeur. Contre la nuit. Contre le bruit du parquet qui craque. Contre les douze coups de minuit de la vieille horloge. Nina, c'est gentil, ce chemisier. Mon ensemble de fille. J'ai pris rendez-vous chez le médecin demain matin et vous passerez au cabinet dans l'après-midi. On va tout vérifier avant de partir pour Saint-Malo. Venez voir le jardin, il est magnifique. Le lierre a beaucoup poussé. Ainsi il recouvre le mur mitoyen. Le palmier est toujours là. C'est très résistant, un palmier. Mais ça, vous savez déjà. Où est passée la tortue ? Des quenelles pour ce soir, ça va ?

Je vais chercher la tortue. Vers les rosiers. Le jardin de la maison de Rennes. Je le connais bien. Il sent bon. L'été est ma saison préférée. C'est l'Algérie qui se répète. C'est cette odeur de soleil qui donne le vertige. C'est cet air chaud. Comme des bras qui me serrent. C'est la vérité de la mer, si proche. Elle vient avec mes yeux fermés. Le jardin de la maison de Rennes. Je l'ai bien connu, un hiver. Tous les matins. L'odeur de la terre. L'odeur de l'herbe qu'on arrose. Le sifflement du jet qui tourne. L'allée de gravier. Les haies bien taillées. Le petit escalier de la cuisine. Les deux cages à lapins. Mon lapin blanc. Ses oreilles chaudes entre mes mains. La grande baie vitrée du salon. Là où la petite chienne s'endort. Au calme. L'odeur de la France qui recouvre tout. Même l'été. Même le soleil. Même la chaleur. Je me sens très loin de l'Algérie soudain. J'ai l'impression de l'oublier. Je profite de ce dépaysement. Je me sens libre. Parce qu'il fait encore jour. Parce que je suis ivre de voyage. Parce que rien n'est vrai. Je vais rentrer, c'est sûr. C'est un rêve. Ma capacité d'adaptation est une fuite de la réalité. Je suis ici sans y être vraiment. La tortue est sur le dos. Ses pattes rugueuses. Sa tête d'animal préhistorique. Je la retourne. Je lui sauve la vie.

Je suis à Rennes. Mon lieu de naissance. Mes oreilles en bourdonnent. Je suis dans la maison de Rennes. La maison de l'enfance de ma mère. Le lieu de son histoire. Sa chambre est au dernier étage. Sous le toit. Elle devait lire, là, sur l'herbe, au printemps. Elle écoutait de la musique. Du jazz. Elle écrivait des poèmes. Elle révisait son droit ici. Elle devait réfléchir, là, sur ce banc. Réfléchir à sa phrase. Comment dire ? Comment annoncer ? Comment raconter ? Comment expliquer ?

Voilà, j'ai rencontré un garçon. Il est étudiant

à la faculté. Il est algérien. Enfin, français musulman, comme ils disent. Je l'aime. Je veux l'épouser. Il viendra ici, dans le petit salon bleu, demander ma main. Il loge à la cité U. Oui, toute sa famille est en Algérie. À l'est. Vous ne voulez pas savoir ? C'est sa solitude que je ressens. Puis sa peur. Cette peur immense de devoir annoncer quelque chose. De dire. De parler. De s'affirmer. C'est si difficile. De savoir avant l'autre. De deviner sa réaction. C'est une peur effrayante. Ça donne mal au ventre. Cette mauvaise nouvelle. En pleine guerre. Embrasser l'ennemi. Le désirer. Faire la paix avant les autres. Par le corps. Se mélanger. Faire des enfants. Je la sens, cette peur. Elle est encore là, dans le jardin, sous mes pieds, dans mon corps brûlant de soleil. Demain j'irai chez le médecin pour vérifier ma vie algérienne. Juste par précaution. Sang, ouïe, os, réflexes. Passer en revue le corps. Traquer. Déceler. Les signes de carence. Oui, monsieur, on mange à notre faim. Des légumes, de la viande, des laitages. Analyses. Radios. Stéthoscope. Voir si tout va bien. Après ce pays, cette terre, cette Afrique du Nord. S'approprier nos corps. Les fouiller. La médecine française sur nous. Cette pénétration. Du crâne aux orteils. Nina a les doigts de pied collés. Les deux après le gros orteil. Si elle en souffre ? Non. Elle marche normalement. Mais si, j'en souffre. J'ai honte de ça. Je les entoure souvent de sparadrap. D'où ça vient ? Du côté français. Elle se tient mal, docteur. Une scoliose, non ? Non. Et ses fièvres ? Une forme de palu ? Non. Elle n'est pas trop petite pour son âge ? Non.

Demain, on m'examine. Mais moi je vais très bien.

La nuit qui tombe est la mort du jour. La nuit qui tombe est la mort de tout. Du soleil. Du souvenir de la mer. Du jardin. Des roses et des framboises. De la vie joyeuse. Reste la terrible distance qui me sépare des miens. Un pont infini. Une injustice aussi. Ma voix ne porte pas jusque là-bas. Qui peut m'entendre ? J'ai le foulard de ma mère dans la main. Ma valise est ouverte. Mes affaires de vacances dans la chambre au lit bateau. Un cabinet de toilette rose. Un secrétaire. Une commode. Une cheminée. Un grand miroir. C'est la chambre de Fanfan. Je suis dans la maison de ma mère. Dans la maison de son enfance. Et ma vie recouvre soudain la sienne, comme une répétition. Je prends tout d'elle. En une nuit. Mon visage sur son visage. Ma voix sur sa voix. Je monte au dernier étage. Je cherche ses livres. Ses lettres. Ses cahiers. Ses notes. Ses cours de droit. Chercher.

Ce qui est écrit. Ce qui reste. Ce qui lie. Ce qui révèle. Chercher le prénom de mon père écrit en cachette. Chercher la preuve. S'assurer de l'existence de ma mère ici, dans ce lieu, dans cette maison de Rennes. Sa petite enfance. Ses lignes d'alphabet. Sa photographie de communiante, en blanc, avec un cierge à la main. Toujours ce visage lisse et bien dessiné. Un visage en cœur. Ses yeux clairs. Cette peau parfaite, si douce. Ce beau visage qui évitait les miroirs. Qui ne t'a pas donné confiance en toi, Méré ? Qui ne t'a pas adorée comme tu m'adores ?

Le cierge de sa première communion. Quel était son vœu ? Partir. Voyager. Apprendre ailleurs. Aller le plus loin possible. Après la mer.

Une enfant si différente, Méré. Une forte tête.

Son lieu. Parquet dans toutes les chambres. Un grand escalier. Statues. Tableaux. Son portrait. Horloge qui sonne les heures et les demi-heures. Le temps compté. Ma mère, Méré, surnommée aussi petite mère par ses sœurs. Elle s'en occupait bien, des petites. Elle les protégeait. Elle leur expliquait des choses de filles. Les choses de la vie. Méré, Mary, Maryvonne, son intelligence. Sa douceur. Remplacer les parents. Prendre soin des petits. Pendant qu'ils sont au cabinet. Avec les patients. Avec la clientèle. Arracher. Polir. Boucher. Soigner, enfin,

113

les autres. Méré. La clé du père dans la serrure. L'autorité. Sa force. Ses mains de dentiste. Des tenailles. Méré, sensible, révoltée et indépendante. La chambre de Méré. Dors vite sinon le méchant Sidi va venir te voir. Sidi, le loup-garou des anciennes colonies. Méré. La seule à aimer un Algérien. La seule de la famille. Le cas Maryvonne. La seule à avoir deux enfants métisses. La seule à laisser sa jeunesse pour l'Algérie, le pays des hommes. Méré petite mère qui accompagnera jusqu'au bout sa petite sœur Fanfan. Elle lui tiendra la main longtemps. Elle déposera une rose sur son corps. Fanfan, la dernière sœur. Celle qui s'inquiétait tant. Je t'ai apporté un croissant et un petit pain au chocolat.

Fanfan, qui jouera si souvent avec nous.

Longtemps je porterai en moi l'enfance de ma mère. Comme un héritage. Comme une blessure à effacer par ma vie heureuse. Comme une injustice. Une enfance sur le fil. Une enfance secrète et inquiétante. Une enfance en danger. Longtemps je la porterai pour soulager ma mère. Pour la guérir. Pour qu'elle s'aime. Longtemps je prendrai ses peurs. La peur du silence. La peur de la nuit. La peur de l'accident. Une vie catastrophe. L'anxiété, disent-ils. Était-ce plus que les bombes allemandes, la nuit, tout autour·de la maison? Était-ce plus que les étoiles de David dessinées sur tous les rideaux de fer? Cette violence. Cette dénonciation. Était-ce plus que le sang de cette corrida en Espagne? Qui a fondé la peur? Qui l'a installée, Méré?

Longtemps Méré attendra l'amour. Des preuves d'amour. De toutes ses forces. Physiquement. Comme un corps tendu. Un corps qui ne veut pas lâcher prise. Qui veut y croire. Une forte tête, volontaire et combative, Méré. Un petit soldat. De l'amour, de l'amour, de l'amour. De l'amour qui devient une prière. De l'amour supplié. Avec les yeux. Avec les enfants confiés. Avec les lettres. Mais le silence prendra tout. Silence sur les massacres en Algérie. Sur la douleur. Sur notre nouvelle vie. Un silence qui court. Qui se transmet par contagion. Une vraie maladie. Une peste. Une épidémie. Silence sur toutes les lèvres. Silence de la France. Du monde entier. Silence sur l'Algérie. Sur les corps brûlés. Sur les corps dépecés. Sur les corps éventrés. Sur cet incroyable puzzle de chairs séparées. Sur ce désordre humain. Sur l'avenir de l'homme. Sur sa véritable nature.

*

115

Des quenelles de brochet dans la grande cuisine de la maison du Thabor. Ne pas gâcher, surtout. La nourriture, c'est important. Combien de tours de roulette ? Combien de plombs coulés ? C'est important d'en avoir conscience. Ça s'apprend dès l'enfance. Finir son assiette. Penser aux petits Africains qui meurent de faim. L'Algérie est un pays d'Afrique. Algérie, département français. La Méditerranée borde Alger comme la Seine traverse Paris.

Les volets sont fermés mais les fenêtres restent ouvertes. J'entends les gens qui passent, lentement, si près de notre table, notre festin. C'est l'été. Par le seul rythme de leurs pas. Une vie lente traînant. Par le bruit de leurs Mobylettes. Une escapade. Par leurs rires. Par l'air chaud qui traverse le bois des volets. Un bol d'eau pour le petit chien. Une bouteille de vin sur la table. Du pain, du fromage, des fruits, des desserts. Mais oui ils nous aiment. Malgré cette vie compliquée. Cette vie algérienne. Deux mois de vacances. Ce n'est pas une preuve, ça ? Au loin, les voix de la télévision. Les réclames, dit-on encore. Que j'apprends par cœur. À Alger, seul le cinéma Le Français diffuse un film publicitaire pour un soda algérien, le Selecto.

Mon grand-père. Sa voix. Ses mains. Finis ton assiette, mon petit.

Je suis si loin de tout, soudain.

Des petits-suisses au sucre. Jami qui raconte la plage, le soleil, ses amies. Moi je n'ai rien à dire. Demain on examine mon corps. Demain ou trouvera Ahmed et peut-être Brio. Demain je traverserai Rennes, la ville des amoureux de 1960. Demain, ma radiographie. Mon silence contre les voix et les rires de la rue. Des Mobylettes encore. La vie clandestine. Faire le mur. Danser. La vie des vacances. Je me noie dans mes petits-suisses. Du lait épais. Cette douceur. Amine. Cherchell. Amine. Tipaza. Ces corps mouillés. Tout ce soleil. Ces cristaux de sel sur ces plongeurs algériens. Cette force. Ma vie naïve et romantique. Ici je suis sous surveillance. Mon dos, mes yeux, mes dents. Deux étrangères. À vérifier. Intérieur. Extérieur. Où passe soudain l'enfance ? C'est la mort déjà qui est là. La mort à trouver sur ces peaux brunes et encore brûlantes.

J'entends la France de l'édition régionale. Paysans bretons. Barrage de la Rance. Danse des bigoudens. Recette du kouign-aman. Cette vie repliée. Cette France très française. Ce mouchoir de poche. Ce folklore que je déteste. Comme je déteste le folklore algérien. Panier en osier. Croix du Sud. Assiette en terre cuite. Burnous pour enfant. Lampe à pétrole. Tapis volant. Ce folklore dangereux. Cette petite identité culturelle. Ce lopin de terre à protéger. À défendre. Du fil de fer barbelé. Autour de leur folklore. Contre l'étranger. Contre la vie. Contre sa vitesse. Contre le progrès. Contre la pénétration.

Le téléphone sonne. Oui, elles sont bien arrivées. Ces voix, au loin, à peine vraies. Si loin. Si arrachées à cette nuit. À cette nouvelle vie. À ce nouvel été. Mais non je ne pleure pas. Oui, c'est la fatigue. Demain ça ira mieux. Oui, je sais que tu penses à moi. Alger-Rennes, la communication est mauvaise. Les lignes sont encombrées.

*

La nuit est vraiment la mort de tout. Des jours précédents. De ce voyage. Du train. Des dernières voix algériennes. La nuit prend tout. C'est une invasion. Seule la maison existe. Seule la maison irradie. Comme si je ne l'avais jamais quittée. Elle devient ma maison. Son odeur de bois. La sonnerie de l'horloge. L'eau qui passe dans les tuyaux. Des pas près de la chambre. Des petits pas. Une ronde de nuit. Vérifier. Si les volets sont fermés. Si le four est éteint. Si la porte du jardin est close. Si le petit chien dort dans son panier. Si les deux filles sont couchées. Des petits pas qui font trembler la maison. Nous sommes quatre. Deux contre deux. Quatre à entendre. À compter. Onze heures. Onze heures et demie. Minuit. Minuit et demi. Je suis la seule à aller au-delà. Vers l'aube. La nuit est un océan. Elle semble permanente. La nuit est l'ennemie des enfants. La nuit est un adversaire. La nuit est un homme qui persécute les femmes. La nuit creuse les fragilités. La nuit est mortelle.

Demain, le jour. Demain, la vie. Demain, l'examen de nos petits corps brûlants. Demain, le chocolat chaud. Demain, les crêpes bretonnes. Demain, la joie de la petite chienne qui rentre dans les lits. Son odeur de noisette. Ses papattes. Son ventre à pétrir, à caresser, à gratter. Sa langue rose et affairée. Ses yeux. Des yeux si intelligents. Elle comprend tout, cette chienne. Tout. Attention, tu lui fais mal, Nina. Tu es brusque. Doucement. Je te dis de faire doucement. C'est fragile un petit chien. Ce petit cœur qui explose. Sa petite tête. Ses coussinets. Un chien est un enfant qui ne parle pas. Un chien est une femme qui ne pleure pas. Un chien est un homme qui n'abandonne pas.

C'est fragile, un petit chien. Ça peut mourir du coryza.

Avec la nuit vient l'idée de la mort. Immense et précise. Un rendez-vous. Longtemps, avant de m'endormir, je me suis répété : je ne veux pas mourir, je ne veux pas mourir, je ne veux pas mourir. Une simple idée qui devint une réalité pour les enfants algériens. Les plus grands massacres auront lieu la nuit. La nuit est un masque. La nuit efface les formes. La nuit supprime les témoins. La nuit rend fou aussi. Ce n'est plus la réalité. C'est une autre vie, sans visage, sans angle, sans matière. La nuit est une noyade. La nuit de l'assaut. Le sang de la nuit. Le feu de la nuit. C'est là qu'ils prendront les villages. C'est là, dans le noir, pour ne pas se voir faire, qu'ils tueront. Sans s'arrêter.

Puis j'ai compris qu'il s'agissait d'autre chose. D'une autre peur. Ce n'est pas la mort en soi. Ce n'est pas cette disparition imaginée. Ça prend un autre sens. Une autre résonance. Un autre ton. Je ne veux pas mourir dit je ne veux pas qu'on m'abandonne. Je ne veux pas mourir dit je veux qu'on m'aime, toujours. Je ne veux pas mourir dit je ne veux pas me séparer. Je ne veux pas mourir dit je ne veux pas me détacher. Je ne veux pas mourir dit je suis dans la fusion et je veux y rester. Ce n'est pas la mort en soi.

C'est la perte du lien. Sa coupure. Puis son oubli.

Ma peur de la mort prend à cet instant. Par cette nuit d'été. Par ce sentiment d'abandon qui me suivra. La nuit, la mort. Ce n'est pas ça l'essentiel. Non, ce n'est pas ça. C'est la vie qui m'a fait peur. Le vertige de la vie. C'est lui qui m'a terrifiée. C'est à cause de lui que je me suis cachée derrière les autres. Puis derrière mes livres (beaux mais difficiles, diront-ils toujours, comme un écho).

Cette vie, un jour, de toutes mes forces j'y entrerai. Et ils sauront qui je suis vraiment. Nina est une fille drôle et rigolote.

Drôle et rigolote.

L'idée de la mort s'insinue avec la sensation du rejet. Ce n'est peut-être pas la vérité. Mais c'est une sensation. Comme une piqûre de guêpe. Un pinçon. Une sensation qui vient du silence de la nuit. L'idée de la mort vient avec l'idée d'être toujours différente. De ne pas être à sa place. De ne pas marcher droit. D'être à côté. Hors contexte. Dans son seul sujet. Sur soi. De ne pas appartenir, enfin, à l'unité du monde. Mon visage. Mon corps à vérifier. Mon accent. Très léger mais reconnaissable. Surtout sur les «t». Ma façon de marcher steve-mcqueen. Une scoliose, docteur? Non, *L'Affaire Thomas*

Crown. Steve sans Faye. L'esprit de Steve. Le désir de Steve. Sur un corps de fille. Ma coupe de cheveux trop courte. Bien trop courte. À la Stone. Mes jeux violents. Mes cuisses musclées. Mes épaules de nageuse. Toutes les falaises du Rocher plat sur mon corps. Dense. Mon regard qui perce. Qui incendie. Qui entend. Qui dénonce. Mon regard, ma seule arme. J'en userai souvent. Pour faire mal. Pour dévorer. Et pour aimer enfin. Mon regard-miroir sur toutes les familles françaises que je rencontrerai par hasard. Leurs mots. Leurs grandes discussions. Leurs familles politiques. Ces gens. Qui disent. Sans penser. Sans le faire exprès, soi-disant. Raton, youpin, négro, pédé, melon. Ça part tout seul. C'est une mécanique de mots. Intégrée au langage. Ces gens que je ne connais pas et qui disent toujours, après : Ce n'est pas de toi dont il s'agit. Et qui disent encore : C'est à cause du vin. Du vin rouge qui excite. Leur obscénité.

L'idée de la mort viendra de ces gens que je croiserai en France, de ces inconnus. Qui forceront ma vie. De ces Français vers la petite Algérienne. Qui voudront s'instruire. Qui voudront savoir. De ce qu'ils demanderont toujours. Toujours plus. Tu t'entends bien avec tes grands-parents français ? Tu as un ami ? Amine ?

122

C'est un prénom, ça ? Il fait toujours chaud là-bas ? Et la misère ? Elle est belle ? Comme au Maroc ou en Tunisie ? À peine visible avec le tourisme. Non ? Pas de touristes en Algérie ? Ah bon ? Alors la misère doit être laide. Sans clubs de vacances. Sans constructions. Sans stations balnéaires. C'est affreux. C'est brutal, non ? Et toi ? Qui es-tu vraiment ? Française, algérienne ? On préfère t'appeler Nina plutôt que Yasmina. Nina ça arrange. Ça fait espagnol ou italien. Comme ça on n'a pas à expliquer nos fréquentations.

*

Je sens l'amour qui vient avec le matin. Avec le chant des oiseaux. Avec le petit chien sous nos draps. Avec la voix de ma grand-mère qui ouvre les volets. Encore une belle journée. Avec l'été français. C'est un amour étrange. Un peu brutal. Mais de quelle faute parle-t-on ? Quelle responsabilité d'avoir ce visage-là avec ces yeux-là ? De porter ce nom-là ? J'ai pris rendez-vous pour Mlles Djamila et Yasmina Bouraoui – quinze heures. Quelle faute ? D'obliger à épeler. À articuler. À ouvrir grande la bouche. À porter sa voix. À se faire entendre de tous ? Lettre par lettre. B-o-u-r-a-o-u-i. Non, pas

123

Baraoui ni Bouraqui. C'est pourtant simple ! Bouraoui de *raha* conter, et de *Abi* qui signifie le père. Les noms arabes sont des prisons familiales. On est toujours le fils de avec Ben ou le père de avec Bou. Des prisons familiales et masculines.

Quelle faute, alors ? D'être la fille des amoureux de 1960. De rendre ce temps éternel. Par ma seule présence. Par mon seul regard. Par ma seule voix. Par ma seule identité. De remuer le couteau dans la plaie. D'insister sur cette mauvaise période. C'était la guerre. L'OAS. Le FLN. Les attentats. Ce couple d'instituteurs égorgés. Ces femmes françaises à la terrasse d'un café. Puis après la bombe. Leurs jupes en sang. Leurs jambes déchiquetées. On avait si peur des Algériens. Des maquisards. Des résistants. De ces visages un peu trop bruns, de ces yeux en amande qui s'étirent tout au long de la journée pour ne faire qu'un trait quand la nuit tombe. La nuit des yeux fous. La nuit des massacres.

De l'amour dans les mains de ma grand-mère qui me lave. De l'amour sur tout mon corps. De l'amour dans sa petite voix qui dit : C'est marrant tu es toute noire avec les plantes de pied blanches. Son savon à la rose que j'adore. Ses doigts qui me découvrent. Tu as un peu grandi quand même. Attends, je vais te rincer les cheveux. De l'amour. Des brosses à dents par paquets. Du dentifrice. Pâte et bicarbonate. De l'amour avec ces cadeaux. De l'amour sur la table de la cuisine. Le petit déjeuner de Gargantua. Brioches, chocolat, pain et crêpes. Nina je t'ai acheté les crêpes que tu aimes. De l'amour, plus tard, de mon grand-père avec mes livres. De l'amour ou de la fierté? De l'amour ou du pardon? De l'amour ou une dévoration? De l'amour, certainement, dira ma mère.

Qui aurait pensé, en 1960? Ma sœur et moi dans la maison du Thabor. Là. Dans la cuisine. Avec le petit-chien-précieux contre mes jambes. Près de l'Aga, le four énorme. Mes pieds nus sur le carrelage bleu. Le ciel bleu de la ville de Rennes. Moins bleu que le ciel algérien. Moins profond. Moins triste aussi. Un bleu qui ne noie pas. Un bleu qui ne rabaisse pas. Rennes est une ville libre. Son ciel n'a pas le désespoir du ciel d'Alger. Qui aurait pensé? Et plus loin encore. Après la Libération. Quand ils ont retrouvé leur maison confisquée par l'armée allemande. Qui aurait pu penser à ce tableau-là? Deux petites métisses le nez dans le chocolat Poulain. Les filles de Rachid. Qui dorment dans la maison. Qui vont au jardin. Qui montent aux étages. Qui fouillent le dernier étage. Chercher une

125

trace de ma mère. Ses copies de philosophie. Ses cours de droit civil. Son écriture, inchangée. Une élève intelligente. Soigneuse et appliquée. Dévaler les escaliers. Jouer. Dans la maison des officiers allemands. Là où ils vivaient. Où ils s'étaient installés. Le temps de la guerre. Une autre guerre encore. Avec les boches il fallait marcher droit. Il ne rigolait pas, l'Allemand. Dit-il. Allemagne-France-Algérie. La marche de la guerre. Aller dans le petit salon bleu. Où tout est bleu. Le canapé. Les rideaux. La moquette. Les objets. Les coussins de velours. Le bleu du ciel algérien. Un petit boudoir. Le salon des affaires importantes. Le salon de la parole. Confesse. Aller à confesse. Le petit salon des drames. Chaque maison a sa pièce réservée, un petit retrait géographique qui permet le murmure, la colère, la tristesse.

Je vous ai réunis aujourd'hui dans le petit salon bleu pour vous annoncer que... Le salon bleu, là où Rachid a demandé la main de Maryvonne. C'était courageux. En petit costume noir, en cravate noire et chemise blanche. Impeccable. Heureusement. L'élégance de mon père. Son goût des jolies choses. Ses pulls, ses chemises, ses pantalons sur son corps si fin. Il parle très bien français. Sans accent. Il a fait l'École normale d'instituteurs. À Constantine.

En Algérie française. Il a passé son bac à Vannes. On le surnommait l'oiseau rare. Il a fait des études d'économie à la faculté de Rennes. C'est là qu'ils se sont rencontrés, ma fille et lui. En pleine guerre d'Algérie. Notre gendre. Qui chantait : Le printemps sans amour n'est pas le printemps. À notre fille. Qui rougissait. En haut des escaliers de la faculté. Voilà ces histoires. Dont tout le monde parle. Ces nouvelles histoires. Des étudiantes françaises tombent amoureuses de ces hommes-là. Et parfois d'Africains d'Afrique noire. On se moque d'elles à la fac. De ces couples-là. On les insulte. On les salit. Mais qu'aurait pensé Rabiâ sur les blagues racistes des étudiants ? Sur ces injures-là ? Melon, bicot, bougnoule. Rabiâ, sa mère. Si douce. Si tendre. Qui avait déjà perdu Amar. Qu'aurait-elle dit, cette mère, si elle avait su ? Rentre, mon fils. Rentre. Ces mots sur Rachid. Sur mon père. Protégé de façon illusoire par son intelligence. Par ses notes. Par son éducation. Par ses premiers prix. Par l'amour de ma mère qui ne pliera pas. Malgré les chants des étudiants. *Radidja la mouquère.* Malgré les regards. Les réflexions. Malgré cet homme qui refusera de lui vendre son journal. Malgré les colères des uns et des autres. Cette hystérie. Malgré le bleu du ciel. Et moi ? Quelle est ma vie avec cette histoire-là ? Avec cette connaissance ? Comment ne pas avoir l'esprit de vengeance ? Comment ne pas vouloir gifler la fille de cet avocat extrémiste que je retrouverai vingt-cinq ans plus tard ?

Oui, je l'aurais, mon esprit de vengeance. Le même esprit que ceux qu'ils appelleront, un jour, beurs. On ne pourra plus dire Arabe, en France. On dira beur et même beurette. Ça sera politique. Ça évitera de dire ces mots terrifiants, Algériens, Maghrébins, Africains du Nord. Tous ces mots que certains Français ne pourront plus prononcer. Beur, c'est ludique. Ça rabaisse bien, aussi. Cette génération, ni vraiment française ni vraiment algérienne. Ce peuple errant. Ces nomades. Ces enfants fantômes. Ces prisonniers. Qui portent la mémoire comme un feu. Qui portent l'histoire comme une pierre. Qui portent la haine comme une voix unique. Qui brûlent du désir de vengeance. Moi aussi j'aurais cette force. Cette envie. De détruire. De sauter à la gorge. De dénoncer. D'ouvrir les murs. Ce sera une force vive mais rentrée. Un démon. Qui sortira avec l'écriture.

Ce n'est pas soi qui compte. On arrive toujours à se soigner. À guérir. À se guérir de la haine des autres. C'est la mémoire de nos parents qui est importante. De leur souffrance. De leur humiliation. Notre berceau. Ce qui nous attendait. Le contexte. Ce qui a été fait. Ce qui a été dit. Leurs blessures transmises. Cet héritage-là. Ces regards sur eux, en France, en Algérie puis encore en France. C'est cela qui nourrira le désir de vengeance. Un jour, j'entendrai, à l'arrêt du bus numéro 21, une femme dire en regardant mon père : Il y a trop d'Arabes en France. Beaucoup trop. Et en plus ils prennent nos bus. Ses mots et mon silence. Cette incapacité à répondre. À hurler. Cet homme est mon père. Respectez-le ou je vous insulte. Respectez-le ou je vous frappe. Respectez-le ou je vous tue. Et ce n'est pas seulement mon père. C'est un homme. Par lui c'est la vie que vous méprisez. Mais rien. Mon silence. Mon père et mon silence. Lui non plus ne dira rien. Effrayé. Ou habitué. Il restera de plus en plus longtemps à Alger. C'est tout. Moi je serai terriblement blessée par les mots de cette femme. Blessée jusqu'au silence.

Puis ça deviendra une habitude d'entendre ça. Ces mots prendront comme des petits feux de forêt. Ça sera dans toute la ville de Paris.

Comme des pièges à déjouer. Comme des mines à enjamber. Dans la rue. Au restaurant. Dans le métro. Cette femme à mon passage : ça court, ça court la racaille. Ça déambule. Au supermarché avec ma sœur et Sophia, une femme encore qui nous regarde : Il faut s'en débarrasser. Les renvoyer dans leur pays. Les exterminer. Les yeux de Sophia. Ses yeux d'enfant. Encore la rage. Encore la nausée. Encore cette incapacité à répondre. Ma peau qui rougit. Les battements de mon cœur. Mon ventre serré. Comme étourdie après un coup de poing. Muette. Mais avec ce désir si violent. Et ces mots qui ne viennent pas. Non, je n'ai pas peur. Non, je ne suis pas lâche. Mon silence confirme juste l'expression : *être terrassé par la douleur*. Et au centre commercial de la porte Maillot, ce jeune homme au visage de mon père : C'en est un. C'est un Arabe. Oui, c'en est un. Silence encore de mon père. *Terrassé par la douleur*. Et derrière le cimetière Montparnasse : Hé, Rachel ! Hé, Sarah ! Hé, salope ! Et à la sortie du Bon Marché : Alors ça c'est Cohen, Benguigui ou peut-être même Abdulmachinchose. Et mon silence toujours. Et là encore des petites vipères enroulées à mon cou : Toi tu n'es pas comme les autres. Ou : Tu fais pas. Tu pourrais même faire italienne. Et ça : Ah bon ? Tu as une amie qui

131

s'appelle Yasmina, toi ? Et mon silence toujours. Parce que ma voix n'est rien. Elle s'échappe comme du vent. Bien sûr qu'il ne fallait pas répondre. Je trouverai mieux. Je l'écrirai. C'est mieux, ça, la haine de l'autre écrite et révélée dans un livre. J'écris. Et quelqu'un se reconnaîtra. Se trouvera minable. Restera sans voix. Se noiera dans le silence. Terrassé par la douleur.

*

Sans accent le jeune Français musulman demande la main de ma mère dans le petit salon bleu et entre ainsi dans la tradition de toutes les familles : la vie se chuchote et les secrets se gardent. Le bleu du ciel. Le bleu des mots. Ma mère quitte la maison. Elle vit avec lui. C'est difficile. Mais ils tiennent. Sans rien demander. Les amis sont là. Certains professeurs. Des étudiants algériens. Marie-France, l'amie de toujours qui suivra, longtemps. Qui saura. Qui racontera. Mon père reçoit la médaille de l'étudiant le plus méritant de France. Mille francs. Une somme, à l'époque. Il se fait suivre dans la rue. Une ombre dans son dos. Une traque. Insupportable en pleine guerre. On demande de renvoyer cet élève. Le meilleur élève de l'université de Rennes. Demande refusée.

Après la mairie, mes parents fêtent leur mariage dans un petit restaurant de Rennes avec leurs amis. Deux frondeurs. Ils ont toute la force du monde. Ils ont aussi tout le silence du monde. C'était pourtant facile. D'aider. D'ouvrir les bras. D'applaudir. De reconnaître. Mais évidemment. Il est parti trop vite. En colère peut-être. Après l'indépendance les Français musulmans devenaient des Algériens. Des clandestins. Des étrangers. Sans travail. Sans argent. Alors il est vite parti. Chercher un appartement. Dans son pays. Dans la chaleur. Dans la difficulté algérienne.

C'était comme traverser la mer à la nage.

Et il est revenu. Avec les clés d'un appartement. Enfin une maison. Pour sa femme, si fatiguée. Pour ses filles. Pour ses trois amours. Pour ce qui compte le plus au monde. Ses beautés. Oui, mon père est revenu. Malgré la rumeur.

Et nous sommes tous partis. Rennes-Paris-Alger. En Caravelle Air France. Un avion à réacteurs. Moi dans un hamac, suspendue. Pour me tenir. Au cas où. Je n'ai même pas crié. J'ai toujours aimé le ciel. Sa couleur. Ses nuages. Ses tourbillons. Sa pureté. Cet immense secret qui le traverse.

C'était facile de l'aimer, notre gendre. Il n'était pas comme les autres. Mais le temps a manqué. Il est parti si vite. D'un coup. Là-bas. En Algérie. Chercher un appartement pour sa famille. Dans ce pays compliqué et lointain. Où la poste ne marche pas. Où les lignes sont mauvaises. On a cru qu'il ne reviendrait pas. De ce pays. Où toute démarche administrative doit recevoir l'aval de Dieu. *Inch Allah*. L'Afrique du Nord. Ces hommes en pantalon bouffant. Ces femmes voilées. Cette langue brutale. Notre petite-fille. On a toujours été plus indulgents avec les Blancs. Pas de rapports de force. Pas de conflits. Oui, c'est injuste. Mais à l'époque c'était difficile de s'ouvrir, d'apprendre, d'attendre, de connaître. On ne savait pas faire. C'était la guerre. C'était trop demander. À une famille française comme les autres. Irréprochable. Qui travaille. Qui vote. Depuis toujours.

*

On a quitté la France comme on a quitté l'Algérie, vite et en désordre. Comme menacés. Par l'indifférence. Par le silence. Avec toujours ce sentiment ou cette obsession d'être indésirables. D'être sans lieu. En équilibre au-dessus du vide. De fuir, de se déplacer malgré soi. Deuxième aller pour ma mère. Retour pour mon père. Découverte pour ma sœur et moi. La chaleur à la sortie de l'avion. Sur la passerelle. Le vent du sud qui sèche les lèvres. Ce feu qui prend le corps. Tel un assaut. Ce plaisir-là. De la terre qui brûle. De l'odeur. Des arbres. Des palmiers. Du jasmin. Tous ces regards derrière la porte vitrée de la douane. Le hall bruyant de l'aéroport, Dar el-Beïda. La vitesse des voitures sur la route moutonnière. Les rangées de palmiers. Découvrir. Le petit appartement du Golf. Cette nouvelle vie. Chaude et grouillante. On a dû quitter la France. Partir. Personne pour nous aider. Pour tendre la main. Personne. On est partis vers l'Algérie algérienne. Un pays libre. Un pays à reconstruire. La terre des grandes illusions. La terre des nouveaux étudiants algériens. Formés en France. Formés aux États-Unis. De la matière grise. Des travailleurs. Des idéalistes. En marche vers l'Algérie, une terre fragile, une terre battue par la haine, une terre épuisée.

*

Des mains si fines. Des ongles si propres. Des mains de pianiste. Ce cerveau. Cet élève si brillant. Ce visage en lame de couteau. Cette inquiétude. On a accepté. Tout de même. Ce haut fonctionnaire. On prendra les filles avec plaisir. Vraiment. Tout ce que vous voudrez. À votre disposition. C'est trop bête. Chaque été. Pour qu'elles respirent. L'été algérien est si humide. C'est mauvais pour le corps. Pour les bronches. En plus on a une fragilité de ce côté-là, dans la famille. Jami et Nina. Si mignonnes. C'était la guerre. C'était la peur. On ne savait rien. On imaginait tout. Encore maintenant. Parfois. C'est plus fort que nous. Mais on est comme tout le monde. Qui n'a jamais eu de mauvaises pensées? Un mouvement d'humeur? Un mauvais mot? Ça part tout seul. Et puis on regrette, voilà. Mais il faut faire attention. Pour les petites. Ces enfants qui n'ont jamais été des enfants. Ça se voit à leurs yeux. Au regard qui s'arrête. Qui perce. Qui dénude. Qui interroge. Et qui pardonne. Elles n'en parlent jamais. Sujet tabou. Elles ne répètent pas. Mais attention à la dernière. Celle qui raconte des histoires à dormir debout. Des histoires qui font peur. Un vrai talent. Celle qui écrira plus tard. Des livres effrayants. C'est dangereux, un écrivain. C'est obsédé par la vérité. Par sa vérité. C'est enfantin, un écrivain.

Ça rapporte. Ça répète. Ça ne peut rien garder pour soi. C'est infréquentable, un écrivain. Ça oblige à mentir, à dissimuler et à se défendre ensuite.

Ces enfants qui n'ont jamais été des enfants. Parce que c'est difficile de vivre avec le sentiment de ne pas avoir été aimé tout de suite, par tout le monde. Ça se sent vite. C'est animal. Et ça change la vision du monde après. Ça poursuit. Ça brûle le corps. Le feu du regard des autres. Sur ma peau. Sur mon visage. C'est difficile de s'aimer après. De ne pas haïr le monde. De ne pas vouloir s'en éloigner.

*

Oui, c'était facile de l'aimer, Rachid, dit mon arrière-grand-mère, avec un « R » parfois roulé, avec une voix forte. Une voix d'un autre temps. Une voix 1900. Avec cette innocence adorable. Celle-là même qu'elle prend en appelant sa chienne, un caniche noir moyen, Jasmine. Jasmine, viens manger. Ici, Jasmine. Au pied. Finis ton assiette, Yasmina, me dit une petite voix qui n'existe pas. Ici personne ne m'appelle Yasmina. On ne se souvient plus de ce prénom. De ce premier prénom. Celui de la fiche administrative. Celui de l'Hôtel-Dieu. Mon prénom arabe.

Un si joli prénom. Celui que je donnerai plus tard, aux autres qui demandent, à ces filles qui veulent savoir, dans le bruit, dans la nuit, ce prénom que je dois toujours répéter, ce prénom qui fera de moi une étrangère à Paris. Jasmine. C'est une coïncidence. Que personne ne relève. Sauf moi. Mais ce n'est pas grave. Je comprends. Moi je n'ai pas peur des chiens. Jasmine, ça sonne bien pour un caniche. C'est de l'humain sur du chien. C'est de l'esprit dans ses yeux. C'est de l'émotion dans ses petits cris. C'est du jasmin sur son poil bouclé.

Mon arrière-grand-mère ne dit jamais le mot arabe. Jamais. Ni algérien. Elle nous aime, je crois. Vraiment. Elle nous garde souvent après le docteur. Le lendemain. C'est la fête. Après l'examen des corps. Après la visite médicale et minutieuse. Elle invite à déjeuner. Un poulet cocotte avec des pommes de terre fondantes. Le petit chien aboie pendant la cuisson. Il est tout fou. Pas agréable à caresser. Un caniche à poil bouclé. Trouvé à la SPA. Chéri. Petit amour. Ma folle. Il court dans le petit appartement encombré. De bronze. De terre cuite. De marbre. De corps moulés. De visages sculptés. De bustes de femmes, immobiles. Des femmes de pierre. Des seins de pierre. Des corps noirs et brillants que je regarde longtemps. Une collection de montres à gousset. Des petites pendules. Des tableaux. Par dizaines. Des cadeaux du mari, capitaine au long cours. Des souvenirs de voyage. De cet homme si bon, si généreux. De cet amoureux.

Il aimait mon père. Oui, il l'aimait. Je ne sais plus son visage. Je ne sais plus ses mains. Je n'entends plus sa voix. Je ne me souviens pas. Je sais juste l'attachement de ma mère pour cet homme, son grand-père de Saint-Malo. Ce marin. Qui couvrait sa femme de parfums, de vêtements. Il savait, lui, la mer, les récifs, les terres étrangères. Il savait, lui, les autres langues, les autres visages. Il savait, lui, les forces des vagues, du vent, du soleil et de la lune, la seule lumière de la nuit.

J'aime l'appartement de mon arrière-grand-mère. Son désordre propre. Ses excès d'objets. C'est la caverne d'Ali Baba. De l'Orient dans la France. Du mystère sur Rennes. Du mystère dans ce petit immeuble moderne bordé d'allées vertes et étroites. Cette petite résidence si différente de la Résidence d'Alger. Sa cuisine. Son salon. Sa chambre à coucher. Ses grandes mains. Ses ongles bombés, toujours faits. Ses cheveux épais. Sa voix forte. Mon arrière-grand-mère. Guerlain sur sa peau. Manteau d'oppossum en hiver. Jambes longues et sculptées. Ses séances d'abdominaux. Sa force. Son endurance. Presque cent ans. Comme sa mère. Ses cadeaux de Noël. Une boîte d'escargots Lanvin pour chaque arrière-petit-enfant, une tribu. Sa vie-comédie. Ses entrées-mises-en-scène. Mon fils, mon amour. Ses doigts qui pincent Jami, parfois, dans la grosse voiture américaine. Comme ça. Sans raison. Pour avoir le silence. Le silence d'une enfant qui ne dit rien. Qui regarde la rue derrière la vitre. Qui se demande ce qu'elle fait là. Qui commence à avoir peur. De la vie. De la mort. Le silence. Par principe. Le respect des aînés. Ses doigts encore sur mon front qui heurte un pylône électrique. De l'alcool à quatre-vingt-dix. Mais non, ça ne pique pas. Tu auras une bosse. Son amour pour ma mère. Jamais de mépris. Jamais. Rien. De cette femme actrice qui nous emmène au jardin public de Maurepas avec son caniche noir moyen qui répond au prénom de Jasmine.

Son petit chien. Sa compagne. Sa petite fille. Cette solitude-là, avec un petit chien. Ce silence à nouveau entre elles deux. Un silence de mort. Ce caniche nain qui a finalement grandi. Qui sentira. Qui se laissera mourir. Qui la suivra, elle, mon arrière-grand-mère. Elle qui me laisse regarder la télévision. Malgré le bleu du ciel de Rennes. Ce n'est pas grave. On sortira après.

Après Gérard Majax. Après ses tours de magie. Prendre une carte dans sa main gauche. Corner. Repérer. Faire disparaître dans le paquet. Retrouver. Ni vu ni connu. Une pièce de monnaie derrière l'oreille de votre spectateur. Comment allumer une bougie sans feu. Abracadabra, je m'appelle Ahmed, Brio, Steve et Yasmina. Puis le jardin de Maurepas. Avec elle, toujours. La poussière du sol sur mes pieds chaussés de sandales. Cet inconvénient. Propre à ce jardin. À sa terre fine. À ses bacs à sable. À ses contre-allées. À tous ces enfants qui courent et soulèvent des nuages blancs. Ces enfants de Maurepas, jardin public. Ces enfants français. Ce bruit-là. Une précipitation. Leur joie. Ma marche lente avec mon arrière-grand-mère, avec ma sœur, avec le petit chien tenu en laisse. C'est obligatoire. C'est écrit sur un écriteau. « Tenu en laisse seulement ». La lumière est blanche au jardin public de Maurepas. Toujours. Elle restera ainsi dans mes souvenirs. Blanche. Comme un endroit qui n'existe pas. Un endroit inventé. Le lieu de mon absence. Je ne sais plus qui je suis au jardin de Maurepas. Une fille ? Un garçon ? L'arrière-petite-fille de Marie ? La petite-fille de Rabiâ ? L'enfant de Méré ? Le fils de Rachid ? Qui ? La Française ? L'Algérienne ? L'Algéro-Française ? De quel côté de la barrière ?

Je reste une étrangère. Je ne connais personne ici. Qui court. Qui crie. Qui embrasse. Qui séduit. Personne. Mais je les vois tous. Je les retiens. Pour longtemps. Personne. Aucune de ces peaux blanches. Dans cette lumière blanche. Blanche comme les beaux cheveux de mon arrière-grand-mère. Blanche comme les os qui la portent. Blanche comme ma voix soudain. Blanche comme l'évidence de la mort du corps, de la main qui me tient. Je suis gênée d'être là. Dans cet inconfort. Qui suis-je ?

Cette phrase reviendra souvent. Pendant longtemps. Avec mon regard sur les autres. Avec mon désir. Avec cette ambiguïté-là. De mes envies. Sur mes mains. Avec ma bouche. Qui suis-je ? Je traverse ainsi le jardin, ses voix, ses visages que je ne connais pas. Que je n'identifie pas. Leurs prénoms. Marion. Olivier. Rémi. Si différents de mon prénom. Si simples à prononcer. Qui s'appelle Yasmina, ici ? Qui ? Je marche près de mon arrière-grand-mère. Marie. Marie et ses longues jambes. Marie et son ventre dur. Marie et ses mains noueuses. Marie encore dans la vie mais déjà vers la mort. Par ma seule présence. Par mon seul âge. Par nos seules différences. Par ce triste jardin de Maurepas. Marie et sa voix qui dit : Au pied, Jasmine. Au pied, mon petit corps contre sa hanche. Et nous

142

marchons sous le ciel bleu de Rennes. Sans rien dire. Un vrai vaisseau qui pénètre le jardin. Puis Marie se détache. Elle marche devant nous. Avec son petit chien. D'un bon pas. Et nos deux corps suivent. Et se réjouissent.

Le jardin de Maurepas, les allées fleuries, les arbres immenses, les glaces, les gaufres et les manèges. La chaleur de l'été français. La course des enfants français qui jouent. Ce dépaysement. Je reste avec Jami, toujours. Collée. Une sangsue. Accrochée. Un animal. Un ouistiti. Je me serre contre elle. Comme d'habitude. Très fort. Toujours. Les balançoires de Maurepas, Jami. Tu t'en souviendras longtemps. Vertes sous un portique géant. Dangereuses, en fin de compte. Des petits cercueils ouverts. On monte deux par deux. Ça tombe bien, je suis avec ma sœur. C'est elle qui donne la première impulsion, debout, les genoux pliés. C'est elle qui fait partir la balançoire vers le ciel. Plier les jambes. Donner des coups de reins. S'envoler. Bien se tenir aux barres. Moi je me laisse faire. Je vise la cime des arbres. Et plus haut encore. Cette balançoire, la même que Sophia prendra, longtemps après, au parc de Paris. Puis Alexandre. Comme leur mère, Jami. C'est ainsi. Les enfants ont tous les mêmes gestes. Les mêmes envies. C'est la beauté de l'enfance. C'est sa simplicité

143

apparente. C'est son miracle. Et je regarderai s'envoler Sophia. Son sourire. Sa volonté de toucher le ciel. De dépasser les arbres. De s'étourdir.

Tous les gestes de l'enfance qui se répètent. Toutes les joies et toutes les larmes. Ces choses qu'on transmet. Comme le bonheur. Et comme la vengeance. Qu'on recommence à l'infini. Cette éternité, de mère en fille. Ce relais à passer. Ce don. Ce miroir-là. Se balancer. Rire. S'envoler. Tous les jardins publics ressemblent à Maurepas. À cette volière soudain. Tous ces petits enfants, si heureux, sur les balançoires. Cette innocence-là.

On vole de plus en plus haut. Le petit chien nous regarde. Il tremble. J'entends, par bribes, la voix de Marie. Attention, les filles. Pas si haut. Assieds-toi, Nina. Tu es trop petite. Tu vas tomber. On est comme ça avec Jami. On adore le ciel. Plus que la terre. Plus que cette terre-là. Ce jardin dans la ville. Cette ville française.

Et Sophia ? S'envolera-t-elle vers son pays inconnu, vers l'Algérie ? Que gardera-t-elle de Bachir et de Rabiâ ? Que saura-t-elle de sa mère, avec moi, sur la balançoire, à Maurepas tendues vers la cime des arbres et le ciel bleu de Rennes ? On lui dira nos après-midi avec Marie et son

144

petit chien Jasmine? On lui dira toute cette enfance? On lui dira tous ces petits détails? Et quand je la serrerai dans mes bras? Je lui dirai : Ne me ressemble pas, Sophia. Ne sois pas trop sensible. Ne t'inquiète pas pour tout. Profite. Joue sans penser. Arme-toi contre la violence des autres. Que saura-t-elle de sa mère, ma protectrice? Qui plie ses genoux. Qui crie : Allez, plus haut, et encore plus haut. Qui me fait rire. Qui me fait rêver. Oui, Jami, plus haut. Et s'envoler. Comme on s'est envolées de Tipaza, d'Alger, de Dar el-Beïda. Comme je me suis envolée de mon enfance avant qu'elle soit finie. Voilà l'histoire inachevée, petite Sophia, petite nièce. Voilà par ton enfance mon enfance qui se dresse. Comme un fantôme. Qui se redresse. Par tes jeux. Par tes rires. Par cette joie. Par les balançoires du parc de Paris. Par ta mère, Jami, qui dit : Attention, Sophia écoute. Attention, Sophia comprend tout. Attention. Ne dites pas devant elle : Massacres-violences-éventrés-brûlés vivants. Nos murmures ne suffiront pas. L'Algérie dévore. Malgré le silence. Malgré la volonté de cacher. De protéger. Malgré toute la douceur tissée autour de ceux qu'on aime.

*

145

S'envoler de la ville de Rennes, mon lieu de naissance. Ce lieu trop loin de la mer. À soixante-quinze kilomètres de Saint-Malo. Une ville étouffante l'été. S'envoler. Quitter le jardin de mes grands-parents pour l'examen des corps. Avoir froid soudain. Froid sous cette robe rouge mise de force. Pour une fois. Pour le médecin. Une fois dans l'été. Un petit effort, Nina. Pour faire plaisir. Être présentable. Regarde, ta sœur a la même. Avoir froid sous ma robe. Je me sens nue. Je déteste ce début d'été. Ce passage. Qui commence toujours ainsi. Deux jours à Rennes. Le médecin. Puis Saint-Malo. Presque tous les étés. J'y fête mes anniversaires. Jusqu'à l'âge de dix-huit ans. Jusqu'à l'âge du non. De la majorité. Non. Jusqu'à ma vie libre et parisienne. Aller en Bretagne et respirer. L'air de la France. L'air de la mer française. Cette mer qui bouge. Qui se retire. Qui va si loin. Va chercher la mer, Nina. Va. Elle court plus vite que toi. Elle est glaciale. Elle rougit la peau. Elle tétanise les cuisses. Mais j'y vais quand même. Bien avant les deux heures de digestion obligatoires. En secret. Je n'ai pas peur de me noyer. Je sais comment lutter. Avec l'eau. Avec les vagues. Je suis algérienne. Je n'ai pas peur de la mer. J'ai failli me noyer mille fois. Dans les rouleaux du club des Pins. Dans un tourbillon au Rocher plat. Dans la piscine de l'hôtel de Zeralda. Je sais ce que c'est. Garder son calme. Se laisser faire. Croire en soi. Préférer la vie à la mort. C'est ça, échapper à la noyade. C'est aussi une question de choix. On y va à pied, dit ma grand-mère. On passera devant l'université de vos parents. Elle me tient la main. Dans la rue. Je suis fière. On croise des clients. Madame. Les jolies petites filles. Oui, elles sont là pour les vacances. Je serre fort sa main. Puis celle de Jami. Je suis au milieu. Comme d'habitude. Protégée. De toutes ces voix qui reviennent. De ces étudiants qui disent : *Radidja la mouquère*. Ma grand-mère a la peau si douce. Des joues de velours. Son odeur vient du savon à la rose. J'écoute sa petite voix qui raconte. Les nouvelles constructions. Les fleurs du Thabor. Les cousins. Cette cellule familiale. Mes cousins, mes amis. Ce clan. Notre clan sur la plage du Minhic. Se baigner. S'amuser. Rire. S'aimer. Ma sensation d'être différente mais toujours acceptée par ces enfants-là. Puis ces adolescents. Par mes tantes. Fanfan. Tante J. qui partira trop tôt, elle aussi. Tante A., si attentive. Qui couvre tout. Nos mensonges. Nos sorties. Notre fatigue. Qui console aussi. Qui console des mots échappés. Des petites réflexions. De ces voisins qui un jour se moquent de moi. *Radidja la mouquère*. Tout revient. Tout recommence. C'est infini. Mais la petite voix de ma grand-mère est toujours là. Elle demande. Alger.

La Résidence. Les mimosas de la Mitidja. La promenade de la rue du Paradou. Et ces petites côtelettes si bonnes du marché d'Hydra. Et ces dattes, les Deglet Nour, les doigts du soleil. Ma grand-mère est venue à Alger. Pour nous voir. Pour visiter. Les ruines romaines de Tipaza. La baie d'Alger. Le village de Sidi-Ferruch. Ma grand-mère a fait le voyage. Je ne me souviens plus où elle dormait dans l'appartement. Je sais juste sa peau douce et parfumée. Ses petites mains de dentiste, agiles. Son diagnostic, rapide. Carie, dent de sagesse, abcès à percer. Son rire, aussi. Dans la voiture. À Moretti. Puis dans la maison de Saint-Malo. Son vrai rire. Sa vraie joie de nous avoir. Un bonheur. Toujours de la musique avec les filles. Et les histoires de Nina. Des histoires d'épouvante. Inventées. Totalement. Du Mont-Saint-Michel à Saint-Malo. Voilà la faculté de droit et d'économie. Moi je ne veux pas regarder. L'escalier. L'amphithéâtre. Trois cents élèves à l'époque. Cet endroit, où certains étudiants ont sali ma mère. La Blanche avec l'Algérien. La femme du Français musulman. Le racisme. La maladie de ces étudiants. Une maladie honteuse. Une maladie sexuelle. La peur de l'autre. La peur de l'autre sexe. De l'autre peau. Le danger de l'étranger. Ne jamais tuer son père. Rester entre Blancs. *Radidja la mouquère*. Ma grand-mère ne dit rien. C'est passé, tout ça. C'est fini, la guerre. Les années soixante. Ces histoires idiotes.

Elle a près d'elle ses deux petites-filles. Une qui ressemble à un garçon mais qui porte, pour une fois, une magnifique robe à imprimés rouges.

*

Radidja la mouquère chantent les étudiants. La Française, la vicieuse. Comme celles qui fréquentent des Noirs. Ces visages. Ces couteaux. Oui, ce rejet est sexuel. Oui, le racisme est une maladie. Un vice. Une maladie honteuse. Qui se développe parfois dans le silence des maisons. On murmure puis on ferme les fenêtres. On crie pendant les repas de famille. Haïr l'autre, c'est l'imaginer contre soi. C'est se sentir possédé. Volé. Pénétré. Le racisme est un fantasme. C'est imaginer l'odeur de sa peau, la tension de son corps, la force de son sexe. Le racisme est une maladie. Une lèpre. Une nécrose. C'est le corps de ma mère avec le corps de mon père qui

149

dérangera. Ces deux chairs-là. Ce rapport-là. Cette union-là. Ce frottement-là. Ce rouge-là. Cette mécanique-là.

Toutes ces voix qui disent encore. Je suis trop fragile pour les entendre. Ces étudiants qui ont vieilli. De bons pères de famille. Des femmes respectables. Je serai toujours trop fragile pour entendre ou deviner ça. Toujours. Même à trente-deux ans. Pour savoir la vérité. Cette vérité insupportable. La vérité de ces voix que j'entends encore dans la rue, ce cri du cœur. Ces mots qui s'échappent. Dans le métro. Dans le bus. À la faculté de droit de Paris. Dans des dîners. Des vipères. Infiltrées à la conversation. Ce qui déçoit. Immédiatement. Ce qui me fait fuir très vite. Ce qui ronge le visage de celui qui dit. Cet acide. Ce qui me poursuit. Appeler l'Arabe de service. La fréquenter. L'inviter. Dire oui, j'en connais une. Puis la renier. Mais ce n'est pas grave. Non, ce n'est rien. Question d'habitude. Ces fragments de la grande mosaïque. Ces petites flèches. Ces petits venins. Comme tous ces petits crachats des enfants algériens dans la chevelure blonde de ma mère, au volant de sa GS bleue.

Et moi ? Quelle est ma maladie ? Que cherche le médecin de la rue d'Antrain ? Avec ses questions. Avec ses mains. Sur mon corps nu. Mon corps déshabillé. Palper le ventre. Regarder les yeux, les oreilles avec un faisceau lumineux. Écraser la langue avec une petite spatule de bois. Ne pas faire attention. Ce ne sont que des enfants après tout. Faire marcher. Relève tes épaules. Tiens-toi droite. Plie les genoux. Tends les genoux. Écouter le cœur, les poumons, les bronches. Le froid de ses mains. Puis de ses instruments. Stéthoscope. Marteau à réflexes. Froideur des plaques radiographiques. Chercher à l'intérieur de moi ce qui ne va pas. Comme je chercherai, longtemps après, à l'extérieur de moi ce qui ne va plus : l'Algérie, mes amis perdus, ma France solitaire, l'odeur de Tipaza, une odeur de sel, de soleil et de terre rouge. Ce sera ça ma vraie maladie. De ne plus voir Amine. De ne plus plonger des falaises du Rocher plat. Ma maladie profonde et algérienne. Retiens ton souffle. Ne bouge plus. Le petit oiseau va sortir. De face. De profil. Tourne la tête. À gauche. À droite. Nom. Prénom. Âge. Nationalité. Il dit lentement. À l'oreille de ma grand-mère. Des fièvres violentes. Des nausées. Plusieurs fois par an. Paludisme ?

Non. Ça monte jusqu'à quarante degrés quand même. Pendant deux, trois jours. Puis ça disparaît. Faites-la boire beaucoup. Pour réhydrater. Et l'air de la mer lui fera du bien. L'air de Saint-Malo. La vraie mer. Celle qui bouge. Qui se retire. Qui revient. Très iodée. Carnet de santé. Rappel des vaccins. Poids et taille. Accident très grave après un fond d'œil. Sauvée à l'hôpital Mustapha, Alger, Algérie. Oui, un accident très grave. Je m'en souviens. De cette phrase surtout. On va perdre Nina. Une phrase qui reviendra. Tu ne vois pas que je suis en train de te perdre, Nina. Qu'on ne s'aime plus comme avant. Que notre histoire sombre. Qu'on se noie lentement. Que c'est irrécupérable.

Je n'ai plus froid. Ma peau est brûlante. Je suis en vie.

*

La plage de Saint-Malo est bordée par les falaises de La Varde, elle s'étend du Minhic à Rochebonne, elle va, immense, jusqu'aux lumières de la ville fortifiée. Un scintillement la nuit. Des étoiles basses. Sur la mer. Des étoiles alignées, rouges et parfois jaunes, froides et irréelles. C'est une plage de sable. La plage du Pont. C'est une plage de France. C'est une plage de Français. Libre d'accès. Même aux Arabes. Pas comme ces plages de la colonisation. Comme ces bars. Comme ces restaurants. Français uniquement. Interdits aux chiens et aux Arabes. Non. La plage du Pont, ouverte à tous. Libre. Avec une cabine de secours, blanche et surélevée, pour voir ce qui se passe, pour surveiller. Tous ces baigneurs. Toutes ces peaux blanches et glacées. Toute cette agitation. Aller vers la mer. Revenir de la mer. Courir vite pour ne pas prendre froid. Je suis souvent autour de la cabine. Qu'est-ce que tu cherches, petit ? Et plus tard. Je peux vous inviter à prendre un verre, ce soir ? Au Rusty Club ? La cabine abrite un Zodiac. Des bouteilles d'oxygène. Des gilets de sauvetage. Tout est prêt. En cas d'urgence. Pansements. Alcool à quatre-vingt-dix. En cas d'accident. Se noyer. Tomber des rochers. La plage du Pont est une plage familiale. Tranquille et familiale. Avec ses jolis prénoms. Marion et

Jacques. Une plage froide et souvent trempée. Par la pluie. Par les grandes marées. Avec tous ces corps allongés. Qui attendent le soleil. La couleur. Avec ce désespoir d'être blanc. En été. Ces corps alignés. Ou en escalier. Sur le ventre. Sur le dos. Assis. En biais. Ces corps immobiles. Figés dans leur dernier geste. Qu'on pourrait croire morts, vus de loin. Morts et nus. Comme tous ces corps découverts après le massacre du village de B. Des corps d'enfants. Coupés en deux. Des corps de femmes tailladés sur la longueur. Comme une fermeture Éclair. Des corps d'hommes sans tête. Et des têtes sans corps. Avec des yeux encore ouverts. Avec ce regard d'aveugle. Qui n'a rien vu venir dans la nuit. Qui n'a pas saisi. Ce désordre. Cette rapidité. Cet affolement. Qui n'a rien vu. Ni le visage des assaillants. Ni les coups de hache. Ni le feu des torches. Non, rien. C'était déjà trop tard. Pour voir et pour comprendre. C'était trop vite. Trop fort. Ce n'était déjà plus la vie. Et ce n'était même pas la mort.

*

Cette plage du Pont pourrait-elle contenir tous ces corps-là? Ces corps algériens. Ces corps démembrés. Qui, ici, pensera à ça, un

jour? Qui, d'ici, dira: Ça va, Nina? Tu t'en
sors? Ce n'est pas trop difficile? De quoi
rêves-tu la nuit? Quelles sont tes images? Tu
arrives à accepter? À vivre avec ça? Avec ces
événements? Avec ce que tu frôles tous les
jours? Avec ce qui te définit. Tu connais tous
ces lieux. Tu reconnais tous ces visages. Tu sais,
toi. Et Amine? Tu as des nouvelles? Des nouvelles de sa vie? De son existence. De sa vérité.
De son corps. Et pourquoi cette tristesse dans
tes yeux? Qui vient la nuit. Quand l'autre
devient une ombre. Une menace. Un adversaire.
Un attentat. Et pourquoi tu t'enfermes chez
toi? Et pourquoi tu as peur de sauter par la
fenêtre pendant ton sommeil? Pourquoi la vie
est une vague que tu ne maîtrises plus, parfois.
Tu es pourtant une bonne nageuse. Agile et
résistante. Et Amine? Et sa voix. Et ses yeux. Et
sa peau. Ça fait combien de temps que vous ne
vous voyez plus? Que c'est un silence mortel?
Que vous n'existez plus l'un pour l'autre. Et
pourquoi certains n'ont rien compris. À tes
retraits. À cette violence. À ce temps que tu
laisses passer. Et s'épaissir. Entre toi et les
autres. Comme une protection. Et comment tu
pouvais savoir tout ça? Ce qui arriverait en
Algérie. Ici, à Saint-Malo, sur la plage du Pont.
Parmi ces corps fantômes.

Je suis si différente sur cette plage-là. Ça se voit tout de suite. Dans les années soixante-dix. C'est plutôt rare, là, en Bretagne, des gens comme moi. Je cours vite entre les corps allongés. Je vais chercher la mer qui se retire, vite. Qui me fuit. Qu'il faut mériter. Je me sens souvent seule. Malgré ma sœur. Chercher la mer. Chercher la sensation du Rocher plat. Chercher la vérité. Ma vérité algérienne. Toutes les photographies disent la même chose. J'ai l'air gêné. Mais je souris toujours à l'objectif. À ma grand-mère qui vise. À cette voix qui dit : Un petit sourire. Juste un petit. C'est l'été. L'air est léger. La mer est froide mais le ciel est si bleu. Alors je souris. Devant les hortensias de l'église de La Varde. Devant les remparts de Saint-Malo. Sur le pont du bateau qui nous emmène à Dinard. Dans la cabine de l'hydroglisseur qui va à Jersey. Toujours serrée contre Jami. Qui a ses mains sur mes épaules. Comme pour fixer à jamais sa protection. Et ma fragilité.

*

Je ne sais pas si je suis chez moi, ici, en France. Je ne le saurai jamais d'ailleurs. Ni à

Rennes, ni à Saint-Malo, ni à Paris. Je ne sais pas si je suis chez moi en Algérie. Je ne le vérifierai jamais. Ce sentiment. Cette évidence. Je me suis toujours sentie clandestine au contrôle des passeports. Pas en règle. M'attendant toujours à être expulsée du rang des passagers, tenue par deux policiers, encadrée, puis conduite dans une petite pièce. Qui êtes-vous ? D'où venez-vous ? Où allez-vous ? J'ai toujours eu l'impression d'avoir un secret. D'avoir une double vie. D'abriter quelqu'un d'autre que moi. Que ma partie visible. De changer de visage. Selon le pays. Selon le policier. Selon les gens que je rencontre.

Tu viens d'où pour être si bronzée ? D'Alger.
Je savais. Ce n'est pas ici que tu as pu prendre
ces couleurs. Ni ces yeux. Ni cette peau. Vous
n'êtes pas beaucoup, au club M, des comme toi.
Des étrangers. Mais tu es jolie, quand même.

*

Ne fais pas ta belle, Nina. Des profils comme
le tien, j'en ai vu beaucoup au Caire. Vous vous
ressemblez toutes. Les Arabes. Les yeux, le nez,
la bouche. Ici, ça fait son petit effet. Au Caire,
c'est normal. Comme à Marrakech. C'est dans
la rue. C'est courant. C'est le type du pays. Ça
ne se voit même pas que ta mère est française
Tu es comme elles. Comme ces filles qui ne sont
pas voilées. C'est le visage des habitants. Des
indigènes. Des locaux. C'est une constante. Un

drapeau. Une identité physique. Un type. Là-bas, je t'ai croisée au moins cent fois.

*

Ce matin, en rentrant chez moi, j'ai jeté ma croix fasciste des remparts. C'était marée haute. Elle est partie. Disparue sous les vagues. Moi aussi j'aimerais disparaître quand je te regarde. Quand je t'entends. Je veux tant être ton ami, Nina. Mais je sais que tu ne m'aimes pas. Que tu m'appelles le petit faf de la rue Blanche.

*

Ça fait longtemps qu'on te regarde avec mes amis. On peut te poser une question ? Es-tu israélienne ?

*

C'est comment *en* Alger ? Ce n'est vraiment plus français ? Quelle langue tu parles, là-bas ? Tu vas au lycée français ? Mais tu n'es pas arabe, alors ? Tu as une photo de ton père ? Quel est son prénom ?

*

Elles sont quand même petites, les filles de Maryvonne. Les plus petites de la famille. C'est la nourriture, peut-être. Et la chaleur. C'est à cause de ce soleil qui frappe comme une maladie.

*

Sortir de la plage du Minhic, sortir des cris des enfants qui se baignent, des mères qui appellent, du bruit de la mer qui revient vite vers le sable, comme une vengeance. Aller vers la terre, déserte et silencieuse. Vers la campagne du petit village de Rothéneuf. À deux kilomètres de la maison de vacances. Ça change. Ce n'est plus la mer. Cette agitation. Des champs de maïs, des maisons en pierre, une église, un chien dans un jardin. Une grande tranquillité. Un tableau français. Une odeur française. Ce n'est plus l'Algérie. Aucun rapport. Aucune ressemblance. C'est l'inverse de l'Algérie. C'est ma seconde terre. C'est ma double vie. C'est l'endroit à pénétrer. Ici je dois être française. M'intégrer. Me sentir bien. Me faire des amis. Rencontrer des gens de mon âge. C'est important. C'est joyeux, l'amitié. Dit ma grand-mère. Marion habite un moulin restauré avant Rothéneuf. Elle a les cheveux blonds et les yeux bleus.

Elle devient vite mon amie française. Elle n'est jamais allée en Algérie. Elle ne connaît aucun Algérien. Elle ne parle pas arabe. Même pas quelques mots, *hachma, brel, zarma, kifèche.* Rien. Elle sait l'Afrique noire. Son enfance à N'Djamena. Mais pas l'Algérie. Elle parle souvent de l'Afrique. De ses souvenirs. Elle raconte. Moi je ne dis rien sur l'Algérie. Rien sur Cherchell. Rien sur Tipaza. Rien sur le Rocher plat. Sur ma vie algérienne. Ma famille. Mes amis. Rien. Je suis à Rothéneuf. Intégrée. Et je suis d'une grande infidélité. Marion couvre lentement le visage d'Amine. Elle entre dans mon existence. Elle devient indispensable.

*

Je rêve du Tchad à Saint-Malo. Je rêve de cette Afrique profonde et mystérieuse. L'Africa. La vraie. L'Algérie est trop proche de la France. Comme traversée. Trop liée aussi. Je rêve de Marion. De plus en plus. Je l'envie. C'est elle l'Africaine avec ses yeux bleus et ses cheveux blonds. C'est elle l'étrangère. Comme ma mère l'a si souvent été. Par ses seuls souvenirs. Par sa seule voix qui raconte. Qui regrette. Moi je ne regrette pas longtemps. Je m'adapte à tout. Très vite. C'est comme une folie, cette faculté d'adaptation. C'est plusieurs vies à la fois. C'est une multitude de petites trahisons.

*

Tu dis que tu m'aimeras toute ta vie et je ne te crois pas. On n'aime pas toute sa vie. Les choses ne se passent pas ainsi. C'est impossible. Et tu le sais, Nina. Tu vis trop loin d'ici. Alger, Algérie. Moi je n'ai que cette plage. Je n'ai que Saint-Malo. Et cette digue le soir. Faire un tour de digue. Sous les falaises de La Varde. Regarder très loin, après la mer. Prier pour que tu m'entendes. Pour que tu me sentes. Que tu me voies. De ta terre vers la mienne. De mon ennui à ta vie. Et attendre toujours. Attendre l'été. Attendre ton retour. Un jour, tu ne reviendras plus à Saint-Malo. Tu effaceras tout. Comme tu effaces tout très vite. Tu ne voudras plus. Tu ne pourras plus. Ce sera trop dur. Trop personnel. Et tu ne donneras plus de nouvelles. Enfermée dans ton malheur algérien.

*

Ma grand-mère semble si heureuse à Saint-Malo. Elle renaît, dit-elle. C'est l'air de la mer. C'est la force des vagues sur sa peau. Son rire,

162

soudain. Que j'entends dans la petite maison de vacances. Qui va dans toutes les chambres. Qui s'attrape. Et se donne. Se fait passer. Elle chante souvent. Je monte la musique. Elle danse alors. *Oh, I want to hold you so much. I love you, baby. I can't take my eyes off you.* Elle dit que c'est toujours la fête quand on est là, Jami et moi. Et les autres cousins. Une vraie bande. Tous de la même famille. Ses deux petites-filles. Qui viennent de si loin. Que c'est autre chose. Un autre rapport. Une responsabilité aussi. Et s'il arrivait un accident ? Comment l'annoncer à Rachid ? Ses deux filles. Ses deux merveilles. C'est de l'amour. Un nouvel amour. Une histoire retrouvée. Elle dit que ça lui manquera tant. Cette joie. Cette musique. Cet oubli de soi. Cette liberté. Que l'enfance guérit de tout. Que ces étés-là sont de vrais plaisirs. Qu'elle ne comprendra jamais mon absence. Mon silence. Ma vie adulte, secrète et fermée.

*

Tous les matins je vérifie mon identité. J'ai quatre problèmes. Française ? Algérienne ? Fille ? Garçon ?

*

163

On achète des tourteaux. Ils sont encore vivants. Les pauvres petites bêtes. Il faut les jeter dans l'eau bouillante. Et refermer le couvercle de la cocotte. C'est cruel. Tout le monde crie dans la petite maison de vacances. On ferme les yeux. Sur ce spectacle. Mais on adore ça, les tourteaux. Il suffit de fermer les yeux, oui. Sur ces animaux ébouillantés. Sur leurs pattes qui grattent aux parois. Comme on fermera les yeux sur ces enfants-torches du village de M. Sur ces braises humaines. Sur ces regards surpris. Sur ces mains tendues qui nous appellent.

*

La nuit, je m'enfuis de la petite maison de vacances. Par la fenêtre de ma chambre. Il suffit de sauter. Puis de courir très vite. Je descends à la plage. Je regarde la mer. Je la devine. Par son bruit. Par ses vagues lentes qui gardent la marée haute. Je regarde après la mer. Vers la lumière du phare. Vers ce faisceau. Ce signe de vie. La nuit, la plage, noire, ressemble à une forêt. Je pense à Amine très fort. À sa voix. À ses mains. À sa peau. À ses épaules. À son corps qui devient, peu à peu, le corps d'un homme. Je pense à lui pour ne pas l'oublier. C'est un gage.

164

Et une punition. Il m'entendra par la mer, peut-être. Il me sentira. Je sais qu'il m'oublie lui aussi. L'été est une saison cruelle. La haute saison. C'est l'enfer du soleil. C'est l'enfer de la mer. C'est l'enfer du vent si doux qui parfume les cheveux. L'été sépare. L'été révèle. L'été menace les équilibres. C'est la faute au ciel. Au bleu profond. Au vertige. À l'affolement.

*

Amine et Nina. La phrase la plus prononcée. La plus entendue. La plus aimée. Puis la plus cruelle.

*

Cette absence soudain. Dans le langage courant. Cette phrase faisait partie du vocabulaire de tous. Et puis, soudain, Nina. Seulement Nina. Amine disparu des voix qui m'appellent. Amine disparu de la langue française. Amine disparu du monde merveilleux. Amine disparu de ma vie.

*

Cette absence. Ce deuxième prénom. Mon deuxième visage. Je ne dirai rien d'Amine. À personne. De cette séparation. Non, rien. Je n'en parlerai pas. Ni à Alger. Ni à Saint-Malo. De ce changement. De la volonté de sa mère. Je ne veux pas que mon fils continue à la voir. Je ne dirai rien de ma mauvaise influence. À personne. Je ne dirai rien de cet amour-là.

*

Chacun cherche Amine. Toute sa vie. Par tension. Chacun cherche ce visage. Ce paradis. Chacun cherche ce regard. Cette folie. De se reconnaître. De se contempler. De se doubler. Amine est le rêve du lien perdu. De l'innocence. Du bonheur. Algérien. Amine est la part manquante. Amine est la tristesse qui finit l'été. Amine est le prénom de ma vraie vie.

*

Où es-tu, Amine ?

*

Ici j'oublie l'Algérie. Ses hommes. Sa chaleur. La couleur de sa mer. C'est une forme de trahison. Ici j'oublie aussi la violence. La peur. Cette façon, toujours, de se retourner derrière son ombre. De vérifier. Quelque chose qui n'existe pas. Mais qui arrivera. Cette intuition. Ici je me laisse aller. Vers mon côté français. Vers ce sujet. Que je ne maîtrise pas. Vers ce mensonge. Qui je suis vraiment? Vers cet accent pointu. Vers cette langue française. Ma langue maternelle. Je parle en français. Uniquement. Je rêve en français. Uniquement. J'écrirai en français. Uniquement. La langue arabe est un son, un chant, une voix. Que je retiens. Que je sens. Mais que je ne sais pas. La langue arabe est une émotion. C'est Faïrouz et Abdel Wahab. C'est cet autre que j'abrite. C'est ma petite blessure. L'Algérie n'est pas dans ma langue. Elle est dans mon corps. L'Algérie n'est pas dans mes mots. Elle est à l'intérieur de moi. L'Algérie n'est pas dans ce qui sort. Elle est dans ce qui dévore. Elle est physique. Dans ce que je ne contrôle pas. Dans mes excès. Dans mes exigences. Dans ma volonté. Dans ma force. L'Algérie est dans mon désir fou d'être aimée.

*

Ma grand-mère m'aime de plus en plus. Avec tendresse. Avec ses mains qui caressent mon visage. Qui lavent mon corps. Avec sa voix qui ne crie jamais sur moi. Ni sur Jamı. Avec ces immenses précautions. À notre égard. Avec cette douceur. Avec cette attention. Avec cette joie réelle de nous avoir ici. En territoire français.

*

Aux grandes marées on descend tous, après dîner, à la plage. Tous. Ma grand-mère. Les cousins. Les amis. Les riverains. Le petit chien. La mer saute, dit ma grand-mère. Des bouillons d'écume. Des vagues tentaculaires qui vont et se retirent avec leurs proies, des baigneurs imprudents. La mer vient jusqu'à la cabine du poste de secours. Elle frappe la digue. À marée haute, quand la mer se stabilise, je plonge. Il faut faire vite. C'est un bain heureux. L'eau est chaude. Apaisée. Après le mouvement. Puis je remonte l'escalier de pierre, un peu effrayée. Mais je ne dis rien. Ma grand-mère m'enroule dans une serviette-éponge. Elle frotte de toutes ses forces. Contre la mer qui se retire déjà. Contre ses courants. Contre la nuit qui tombe sur la plage engloutie. Et je m'enfuis de ses bras. Et je recommence. Je plonge dans les grandes vagues de la marée d'équinoxe. Je désobéis. Je n'ai plus peur. Je suis aimée.

Je m'habitue à la vie française. À cette tranquillité. À la découverte de Marion. À son visage. À ses yeux bleus. À sa voix. À ses promesses.

*

Je prends le petit chien dans mes bras. Je le protège du vent. Et du bruit des vagues. Je sens son cœur battre sous ma main. Ma grand-mère a raison. C'est fragile, le cœur d'un petit chien. Ça contient toute notre solitude.

*

Se baigner à marée haute. Faire un tour de digue. Être enfant, sur le pont du bateau qui conduit à Dinard. Être adolescente. Monter sur une mob. Faire du stop jusqu'à la ville. Boire un café terriblement amer. Dire toujours non à ceux qui veulent m'embrasser. Danser et chanter. Aller au Rusty Club. Et au Pénélope. C'est donc cela, les vacances d'une jeune Française.

*

Ici je ne parle pas de l'Algérie. À personne. Pourquoi ? Je ne dis rien. Sur Amine. Sur son visage. Sur ce qu'il est. Jamais. Rien sur la ville, sur la mer, sur le désert. Pourquoi ? Je ne dis rien sur la violence qui monte. Qui étouffe. Qui réduit notre géographie. Attention aux lieux isolés. Éviter les plages désertes. La campagne profonde. Les routes après dix-huit heures. Je ne dis rien de ma tentative d'enlèvement. Du visage très précis de cet homme. De ce choc. De cette histoire vraie. De ce fondement. Pourquoi ? Je n'ai aucune photo sur moi. Aucune preuve. Rien. De là-bas, des autres, de ma vie. Je mens par mes silences.

*

Ce n'est pas la honte. Non. Certainement pas. Je n'ai pas honte d'être aussi algérienne. Jamais, d'ailleurs. J'en serai fière. J'en userai. Par provocation. Par arrogance. J'étoufferai mon côté français. Par vengeance de ces silences enfantins. Ces omissions. Ce n'est pas la peur non plus. Je n'ai pas peur des mots, bougnoule, bicot, melon. Je peux les entendre. Les laisser me traverser. Me noyer. Ils me donnent toujours de la force. La force de la haine. La force du combat. La force d'être moi. Non, ce n'est pas ça. C'est la gêne. L'ennui de ne plus parler

170

de la même chose. De la même terre. De la même mer. De la même plage. Des mêmes amis. De devenir étrangère à l'autre. Et que l'autre devienne mon étranger. Parce que l'Algérie provoque ça. Cette différence immédiate. Cette opposition. Par son histoire. Par son présent. Voilà l'ennui. C'est une question de distances. De ruptures. De rapports modifiés. C'est dresser un mur. Creuser un fossé. Fermer une porte. C'est aussi effacer mon don, cette terrible faculté d'adaptation : ma parfaite négation.

*

Et qui pourrait comprendre ? Sentir, effleurer, étreindre ? Amine, Alger, la Résidence. Qui pourrait entendre nos voix qui s'appellent ? sous les glycines, entre les orangers, près des oliviers. Qui pourrait pénétrer cette nature-là, chaude et attachante ? Cette sensualité. Et qui se souviendra de moi ici ? Qui dira, un jour : C'est affreux, c'est odieux, c'est impossible à vivre. Et qui écrira ? Chère Nina, où que tu sois, je pense à toi. Je sais que tu es forte mais tout de même, comment supporter ça ? Cette violence. Ces événements. Cette question algérienne.

*

Et moi, à mon tour, je dirai, tous les jours : Mais comment font-ils ? Pour vivre, pour s'endormir, pour rêver, tous mes amis algériens ?

*

Non, je ne dis rien, à Saint-Malo Je suis enfermée dans le secret. Qui m'a forcée à ça, d'ailleurs ? Depuis toujours. Se taire. Garder pour soi. Intérioriser. Mon silence est un corps. Mon silence est une maison. Mon silence est une habitude. Mon silence est une forteresse. Ne rien dire. Regarder. Tenir ses larmes. Entendre. Ne pas répondre. Ne pas raconter. Et d'où viendra la force de parler ? Et d'écrire ? D'écrire sans regretter. D'écrire sans avoir peur. Du regard des autres. De leurs questions. De mes réponses. Comment contrôler toutes ces petites vérités ? Comment les valider ? Tout ce que j'écris, tout ce que je répète, comme une enfant mal élevée. Ou comme une enfant qui ment.

*

Ici les familles françaises se retrouvent tous les étés. La plage devient un lieu de rendez-vous. Retrouver les visages de la dernière saison. Chercher. En avoir le cœur serré. Parmi tous ces corps. Toute cette nudité. Courir vers ses amis. S'embrasser. La plage est un lieu témoin. À l'inverse de Moretti, de Sidi-Ferruch, de Tipaza. À l'inverse de ces lignes brutales, de ces falaises, de ces récifs. À l'inverse de ces lieux souvent désertiques. La plage algérienne est brutale. Magnifique et brutale. C'est la nature immédiate. C'est son odeur. C'est sa force. C'est se laisser submerger par ça. Par cette sensation. Elle est sans repères. Sans connaissances. Sans familles. Personne ne s'y retrouve. Chacun se fuit. Le corps est seul. Avec la mer. Avec le soleil. Avec les falaises. Sans attaches. C'est difficile, après, de s'intégrer, de reconnaître, de saluer. Et d'entrer dans la famille française.

*

Le soir, la plage est aux riverains. Elle est différente. Comme battue par les baigneurs et le soleil. Comme blessée. On décide, parfois, d'aller à Saint-Malo à pied. Par la plage. En suivant l'eau qui descend vers les îles du Davier et de Sézambre. On va, avec mes tantes, F., J. et A. Avec mes cousins aussi. On se tient par la main. Une vraie bande. Un vrai clan. Dans lequel je m'introduis. Je me sens différente mais je suis bien. Dans cette force. Dans cette excitation. Le Pont, Le Minhic, Paramé, Rochebonne, Saint-Malo. Dans ces étapes à franchir et à apprendre. Dans cette géographie nouvelle et française.

*

En Algérie, je peux rester longtemps au-dessus de la mer, en équilibre, sur un rocher. Une heure, parfois. Je ne crains pas le soleil. Et le temps n'est pas un ennemi. J'y apprends la patience et la contemplation. J'y apprends à écrire. Je cimente toute ma vie à venir.

*

Personne ne m'appelle Yasmina à Saint-Malo. C'est un effacement volontaire. C'est moi qui devance, toujours. Qui me présente avec ce petit feu : Nina.

*

Je refuse de montrer la photographie de mon passeport. Ma véritable identité.

*

174

Toi, Amine, tu m'appelles Yasmina. Mais pas devant les autres. C'est ton secret. C'est ta façon d'être un homme. Tu dis Yesmina, à l'algérienne. En appuyant sur le «Y». Ça donne de la puissance. De l'autorité. De l'homme sur la femme. De la domination. De toi sur moi. Et du désir. Dans ta bouche. Yesmina me féminise. C'est fugitif. C'est un jeu. C'est un rôle. Qu'on efface très vite en plongeant des falaises du Rocher plat. Comme deux anges.

*

Pour moi, la France, c'est le roucoulement des tourterelles dans le jardin de la maison de vacances. C'est ce chant-là. C'est l'odeur de la boulangerie. Du pain chaud et des croissants. Ce sont les couleurs des bacs à bonbons, Chupa Chups, Malabar, Carambar. Et cette farine blanche. Et ce beurre salé. Pour moi, la France, c'est le goût du plaisir.

*

Ils ont des maisons de famille. Des meubles de famille. Des tableaux de famille. Des grands parcs et des allées de gravier. Ils font des repas de famille. Ils ont des histoires de famille. Et un arbre généalogique. Un étranglement.

*

Moi je me sens très libre en Algérie. Nous sommes quatre toujours. Quatre contre tous. Quatre seulement. La famille Bouraoui. Quatre contre l'adversité du monde. Quatre contre les autres. Quatre en repli. Quatre. C'est le chiffre de la chance. Quatre joueurs à la belote. Quatre joueurs aux petits chevaux. Quatre joueurs aux Mille Bornes. Quatre forme le carré parfait. Quatre sont les angles coupants de notre demeure.

*

Nous sommes si nombreux à Saint-Malo. Des grandes tables. De dix et de quinze parfois. Tous les cousins. Leurs parents. Mon grand-père qui vient le dimanche avec sa mère, Marie, en voiture américaine, de Rennes C'est immense toutes ces voix mêlées, ces rires, ces opinions. Ce festin. Et tout ce que je n'entends pas. Qui se murmure. J'ai souvent froid. Les cheveux mouillés par le dernier bain. J'ai des frissons très violents. Malgré le soleil qui tombe sur le jardin, sur la table puis sur mon corps. Mais ce n'est pas la fièvre qui vient. C'est un vertige. Sous toute ma peau. Comme un serpent qui glisserait. C'est la conscience de soi parmi les autres. D'être entourée. D'excéder le chiffre quatre. Et de se sentir seule. De se sentir nue. Nous ne sommes plus que deux. Jami et moi. Détachées des autres. Malgré nous. Par la seule histoire de notre vie repliée et algérienne. Par cette impossibilité à se mélanger. À partager. Les deux filles de Rachid et de Maryvonne à Saint-Malo. Ces deux filles seules. Et j'ai froid pour ça. Malgré les rires. Malgré le bonheur visible. Malgré les mains de ma grand-mère sur mes épaules. Tu es gelée, Nina. Je t'avais dit de ne pas te baigner si tôt. Tu n'es pas en Algérie, ici. Tu n'as pas l'habitude de cette eau froide. Mais ce n'est pas la mer. Et ce n'est pas le vent. J'ai froid de solitude. Et de gêne aussi. De les regarder tous si précisément. De leur voler quelque chose. Visage après visage. De retenir leur voix, leurs mots. De prendre. De fixer cette vie de famille. Cette famille qui se retrouve dans cet été tranquille et français.

*

On a le droit de monter dans la Buick. De tourner le volant. D'appuyer sur les pédales. De faire sonner le klaxon – pas plus de trois fois. De regarder dans le rétroviseur. D'attacher les ceintures. De voyager, immobiles.

*

Marie ne descend pas à la plage. Elle reste dans le jardin sur une chaise longue. Elle fuit le soleil, pourtant si faible. Elle reste sous les arbres serrés. Elle croise les mains et ne bouge plus. Souvent, elle dit attendre la mort.

*

Je m'assois près d'elle. Moi non plus je n'aime pas cette plage le dimanche. Trop bruyante. Trop fréquentée. Tous ces enfants qui courent, qui crient, qui font des batailles de sable. Et je n'aime pas mon corps sur cette plage. Je reste dans le jardin. Je parle. Mais elle ne répond pas. Ses yeux sont fermés. Elle fait semblant de dormir.

*

Le dimanche après-midi est rapide. Il commence à quinze heures après le long déjeuner. Chacun s'affaire. On taille la haie. On trie le gravier. On descend la planche à voile. On joue dans la dune, un terrain en pente qui jouxte la maison. On plie la table de jardin. On se repose. Moi je réveille Marie. Je décroise ses mains. J'ai si peur de la mort.

*

Mon grand-père descend à la plage. Il reste en haut de l'escalier de pierre. Il regarde. Du Minhic à Saint-Malo. Il couvre tout. Il remarque tout. Comme un propriétaire. Avec cette joie, toujours, que donne la mer. Son bruit. Sa couleur. Ses vagues. Son odeur. Qui le traversent.

*

Souvent les voix se baissent. On parle à l'oreille de ma grand-mère. Des secrets. De famille. Des portes qui se ferment. Des doigts sur la bouche. Des chuchotements. Des regards fuyants. Moi on ne me confie rien. Mais je devine la rumeur.

*

Dans cet été français je cache profondément Ahmed. Je ne réponds pas aux voix qui disent : petit, jeune homme, monsieur-dame. C'est votre petit-fils ? Dans ces cas-là je ne regarde pas ma grand-mère. Je sais qu'elle n'aime pas cette ambiguïté-là. Mes vêtements. Ma façon de marcher. Ma coupe de cheveux. Mais le plus grave n'est pas là. Tous les enfants se ressemblent. Et se confondent. L'important c'est cette volonté de cacher. De dissimuler. De se transformer. De se fuir. D'être hors la loi. Et hors de soi.

*

Ils regagnent Rennes dans le ciel rose et clair d'une soirée d'été. En train. En Buick. Souvent les hommes qui travaillent, malgré les vacances. Mes tantes restent. Avec leurs filles. Avec leurs fils. Moi je reste avec Jami. Marie salue de la main derrière la vitre de la voiture américaine qui l'emporte vers la ville, vers son petit appartement de Maurepas, vers les souvenirs du capitaine au long cours, vers ses statues noires, ces corps de pierre comme figés par la mort. Vers ses miroirs.

*

Tous les dimanches soir se ressemblent. Même en vacances. Même au bord de la mer. Ils sont en dehors du temps. De la vie. Du mouvement. De la promesse de toujours s'aimer. De s'attendre. De se revoir. Tous les dimanches soir sont tristes. Des soirs de marée basse. Où tout se fige. Où tout s'absente. Des soirs nostalgiques. Où chacun, ici, semble regretter quelque chose ou porter un secret.

*

Et quel est le secret de cette femme qui marche au bord de l'eau ? Sur la plage du Minhic. Cette femme qui me tourne le dos. Ma grand-mère. Que je regarde malgré elle. Qui marche pieds nus dans le sable et porte ses chaussures à la main. Qui avance, seule, dans le dernier rayon du soleil, rose, jaune et rouge et bientôt mélangé au bleu de la mer. Le dernier rayon. Le rayon vert. Qui va, lentement. À quoi pense-t-elle, là, sur cette plage ? Dans sa solitude. À quoi rêve-t-elle ? Cette femme qui aimait tant le piano. Et qui aime encore danser et chanter. Où est sa vraie vie ? Est-ce qu'elle m'aime ? Quel est le secret de ce visage parfois si triste ? De ses silences. De ses absences. Cette femme qui semble s'échapper. Qui marche très près de la mer. Comme pour prendre sa force. Ou son infini. Pour partir, à son tour. Loin.

Pour fuir une vie. Est-elle heureuse près des vagues qui la portent ? Les vagues de cette mer froide. De cette mer glacée. Cette femme qui me regarde parfois sans me voir vraiment. Qui m'entend sans savoir. Qui marche sans sentir mon regard qui la suit. Cette femme qui ne veut plus s'arrêter de marcher. Quel lien a-t-elle avec ma mère ? Que reste-t-il ? Et se transmet ? Cette femme qui ne sait pas que je la surveille du poste de secours. Et que je la protège, à ma façon.

Tivoli

C'est arrivé à Tivoli. Dans cet été exception-
nel. Je ne suis pas allée à Saint-Malo mais à
Rome. Un été brûlant. Un été détourné. C'est
arrivé là. Dans cette saison propice à ça. Cette
saison des corps. C'est arrivé dans les jardins de
Tivoli. Avec ces arbres humides, ces allées trem-
pées, ces cascades. Dans ce ruissellement. C'est
arrivé avec les jeunes hommes au torse nu, les
ragazzi, qui jouaient dans l'eau. Qui riaient.
Qui criaient. Qui semblaient si heureux d'être
là. Et dont les corps brillaient avec le soleil, avec
l'eau, avec le désir qui les habitait. Nous
sommes descendues au Grand Hôtel, en haut de
la piazza di Spagna, rouge de fleurs. Une
chambre à deux lits. Assez grande. Une salle de
bains blanche avec une baignoire. Un petit balcon. Des volets intérieurs. Une très belle
chambre.

Il faisait plus chaud qu'à Alger. Sans la mer,

sans ses vagues, sans son souffle. Rome, une ville de pierres brûlantes. Mais j'avais l'habitude de la chaleur. De cet assaut. De cette prison. Je savais vivre avec. Je m'habillais souvent en blanc. Contre la lumière. Pour ce qui allait m'arriver. Nous avons beaucoup marché à Rome. Nous avons oublié Alger. Son climat. Son insécurité. Nous avons cherché, partout, à être plus libres encore. Dans la nuit. Dans les rues désertes. Dans des endroits isolés. Dans les jardins de Tivoli. Tout était si facile. Être. Se promener. Tarder à rentrer. Regarder. Ne plus avoir peur. De rien. Parmi ces hommes. Parmi ces femmes. Je n'étais plus française. Je n'étais plus algérienne. Je n'étais même plus la fille de ma mère. J'étais moi. Avec mon corps. Avec ce pressentiment. Quelque chose arriverait. Le Colisée. Le Forum. Via Venetto. Del Corso. Del Popolo. Trevi. Et toutes ces églises, cette obscurité et ce silence retrouvés. Parce que la chaleur est un cri. Un rugissement. Et, avec la lumière, une déchirure.

Il fallait se rafraîchir. À tout prix. En mangeant des copeaux de noix de coco gelés. Des *gelati*. Des fruits. Des oranges, surtout. Et en allant aux jardins de Tivoli.

Je voulais tout voir. Tout visiter. Tout savoir. Comme si je n'allais jamais revenir. Dans cet été unique et romain. Les temples. Les vestiges. Les palais. Cette histoire vivante. Rome. Ma ville. Ma nouvelle ville. Avec ces hommes. Avec ces femmes. Avec cette beauté si gaie.

Là, en regardant le bleu du ciel, je n'avais jamais envie de pleurer.

Je suis devenue heureuse à Rome. J'ai attaché mes cheveux et on a découvert une nuque très fine. Et encore plus. Des attaches sensibles. Un joli visage. Des yeux qui devenaient verts au soleil. Des mains et des gestes de femme. Une voix plus grave et contrôlée. Je suis devenue heureuse à Rome. Mon corps portait autre chose. Une évidence. Une nouvelle personnalité. Un don, peut-être. Je venais de moi et de moi seule. Je me retrouvais. Je venais de mes yeux, de ma voix, de mes envies. Je sortais de moi. Et je me possédais. Mon corps se détachait de tout. Il n'avait plus rien de la France. Plus rien de l'Algérie. Il avait cette joie simple d'être en vie. Une joie si forte qu'on peut la voir sur toutes les photographies de ces vacances-là. Devant le porche du Grand Hôtel. Sur les marches de la piazza di Spagna. À l'arrière d'une calèche rouge. Au milieu du Forum, dans ces ruines romaines. Mais ce n'était plus Tipaza. Et ce n'était plus le Chenoua. Tout changeait. Par ma peau. Par mon regard. Rien ne serait plus jamais comme avant. Par mon seul corps. De ce qui s'en dégageait. Par sa décision. D'être un corps libre dans les jardins de Tivoli. Par les *ragazzi* qui dansaient autour de moi. Moi, immobile devant l'objectif de l'appareil photographique. Cet œil. Ce témoin. Qui fixait les épaules, le ventre et le dos nu des garçons de l'été. Qui me plaçait au centre de tout. Qui m'incluait à la vie. À la simple vie. Dans leurs cris. Dans leur joie. Dans leur beauté. Avec le bruit de cette grande cascade qui mouillait mes cheveux. Juste pour la photo.

Ils me parlaient. Et, sans connaître la langue, je savais que toute ma force était là, dans leurs mots, dans leurs chansons, dans la nouveauté qui hantait mon corps : le désir.

Amine

Cher Amine,

À mon retour de Rome, tu as changé. Tu m'as regardée autrement. Ce n'étaient plus tes yeux. Ce n'étaient plus tes mains. Ce n'étaient plus tes lèvres. Tu as hésité avant d'ouvrir. Tu ne m'as pas reconnue. Je suis passée sans prévenir. Je n'étais pas sûre de te trouver. Tu m'as laissée entrer. Mais tu ne voulais pas. Ça se voyait. Je m'en souviens très bien. Ta mère m'a trouvée belle. Elle l'a dit. Plusieurs fois. C'est bien tes cheveux comme ça, Nina. Elle semblait heureuse. Toi tu n'as rien dit sur moi. Rien. Je portais du blanc. Mon corps avait changé dans cet été étrange et romain. Il avait l'expérience du désir. Et tu l'as senti, Amine. Je l'ai vu, à tes yeux, sur mon ventre, sur ma bouche, que tu retirais très vite comme une main sur le feu. Tu m'en as voulu. Peut-être. Tu t'es senti trahi. Moi j'étais là, devant toi, avec toi. Et toi tu allais déjà vers le silence. Vers cette séparation. Vers ton secret. Qui fermera nos deux vies. Nous étions fin août, début septembre. Les orangers sentaient encore fort en Algérie. Le jasmin et la glycine aussi. Pour la première fois nous ne sommes pas allés dans ta chambre. Nous avons suivi les autres, qui nous protégeaient. Nous avons écouté leurs voix, qui résonnaient dans le salon. On a bu du thé glacé. Il faisait très chaud. Tu cachais toujours ta bouche avec ta main. Et tu baissais les yeux quand les miens te cherchaient. On racontait nos vacances. Rome. Les pierres. Les ruines. Les vestiges. Et moi j'avais l'impression de raconter la fin de notre histoire. On s'est dit au revoir. On s'est embrassés assez fort. Pour la première fois. Comme un homme et une femme. Et tu ne m'as pas raccompagnée jusqu'à la porte

On s'est souvent croisés, après. Sans se parler. Sans se regarder. En prenant bien soin de s'écarter comme un aveugle qui devine un obstacle sur son chemin. Sans le savoir, tu m'as donné parfois la force d'écrire. Par ton souvenir, si plein, si constant. Par ce vide à combler. À raconter. Par cette place immense que tu as, malgré toi, creusée en moi. Par ce manque dans mon histoire que je porte. Que tu portes peut-être. Et qui dévore. Il restera toujours une trace